危機の時代を生きる3

聖教新聞報道局編

潮新書
050

潮出版社

危機の時代を生きる3――目次

第4章――複合危機――人類の針路　225

一、本書は、「聖教新聞」に連載された「危機の時代を生きる」から二一人のインタビュー等を収録し、加筆・修正したものです。
一、各節の冒頭に掲載年月日を記載しました。
一、時系列等は新聞掲載時のものです。

第1章

歴史の教訓から何を学ぶか——コロナ以後の世界

2022年1月7日付掲載

歴史の岐路に立つ人類
高原の見晴らしを切り開く

危機に直面する現代社会は、どこに向かうのか。未来を切り開いていく上で、大切な哲学や価値観とは何か。日本を代表する社会学者に聞いた。

見田宗介

社会学者

みた・むねすけ
日本を代表する社会学者。1937年、東京都生まれ。東京大学名誉教授。専門は現代社会論、比較社会学、文化の社会学。東京大学大学院博士課程単位取得退学。東京大学大学院総合文化研究科教授、共立女子大学教授を歴任。主な著書に、『現代社会はどこに向かうか』『現代社会の理論』『宮沢賢治』『まなざしの地獄』ほか。真木悠介名義の著作に、『気流の鳴る音』『時間の比較社会学』『自我の起源』ほか。著作集として、『定本 見田宗介著作集』(全10巻)、『定本 真木悠介著作集』(全4巻)がある。2022年4月、84歳で死去。

現代社会はどこに向かうか

――「現代社会はどこに向かうか」。見田さんは、この問いに長年向き合い、同タイトルの近著（岩波新書）でも未来への展望をつづられています。

　わたしたちが生きているこの社会が、基本的にどういう方向に向かっているのかということは、以前は当たり前のこととして決まっていました。例えば、明治・大正・昭和期までの日本人にとって、社会は基本的に、無限に「近代化」してゆくものであり、世の中は物質的にどんどん豊かになってゆくということが、安心して前提されていました。

　しかし、20世紀の終わりくらいから、この前提は根本から揺らぎ始めて、安心して依存することのできないものとなった。現代社会が「どこに向かうか」という問いが、切実な「問題」として問われるようになりました。

　このことは、日本だけでなく、地球上の人間の全体をみても言えることです。

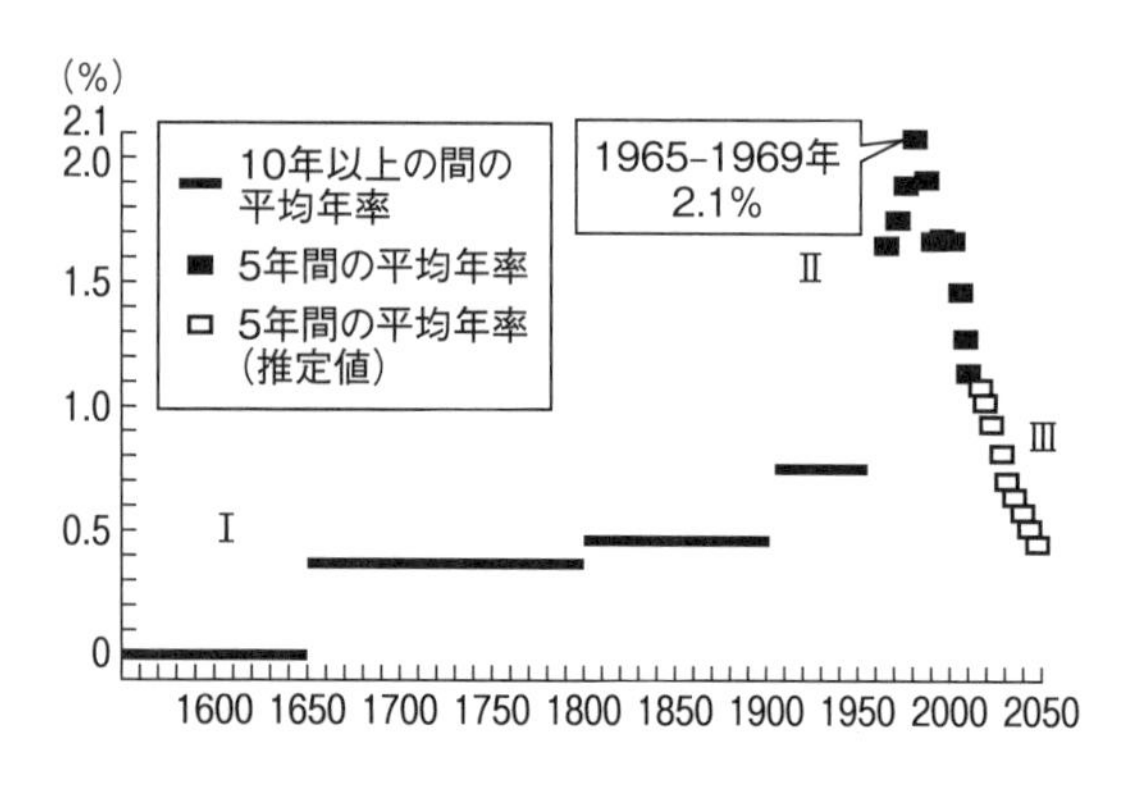

【図1】世界人口の増加年率
（U.S. Census Bureau, International Data Base < Data updated 4-26-2005 >から作成）

人間が地球上に出現したのは何十万年か前ですが、1万年前になってやっと、人口は500万人くらいになります。紀元前1000年には5000万人。紀元1年には2億人から3億人くらいと、この頃になって人間は爆発的な増殖（ぞうしょく）を開始して、地球の全体を覆います。

ところがこの加速度的な人口増殖は、20世紀の終わり近くになって、突然の反転減少を開始します。正確に言うと1970年前後ですが、世界の人口それ自体はまだしばらくは増加し続けますが、増加率は減少に反転するのです（図1）。

これは、何十万年もの人間の歴史の中で初めてのことであり、20世紀末の転回が、人間の歴史の中でどんなに大きい曲がり角であったかが分かります。

この突然の反転がなぜ起こったのか。この点には

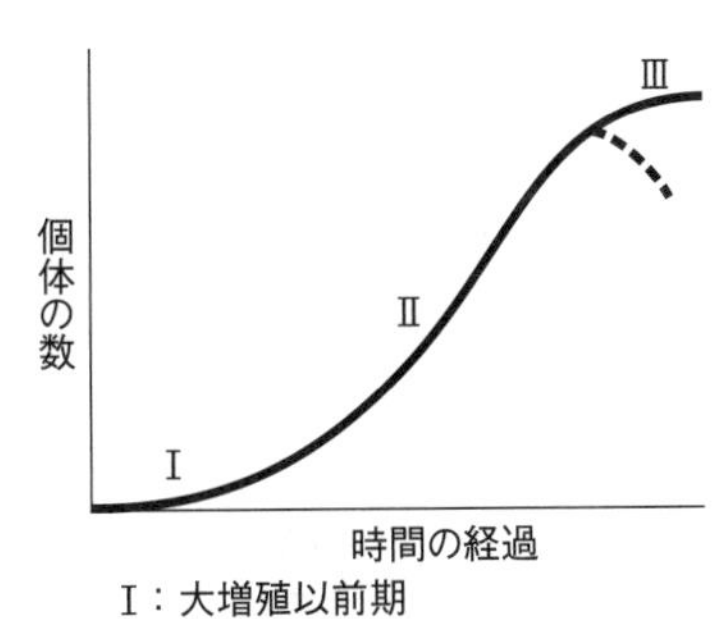

【図2】ロジスティック曲線

明快な理論的な説明があります。生物学でいう「ロジスティック曲線」というものです。

ある環境によく適合した生物種、例えばある森の環境条件によく適応した昆虫種が出現すると、当然この昆虫種は、森の環境条件が許す限り、どんどん増殖します。しかし、いつかは環境条件の限界に到達するので、この限界を無視して「征服」というモードに固執して増殖し続ける昆虫は、当然滅亡します。

しかしここで、有限な環境条件との「共存」というモードへの切り替えに成功した昆虫種は、永続する生存の軌道に乗ることができます。ロジスティック曲線でいう、第Ⅲ局面への移行です。これを分かりやすく表すと、図2のようになります。

つまり、環境条件に最もよく適応した生物種は、最初の緩やかな増殖という第Ⅰ局面から加速度的な（時に爆発的な）増殖という第Ⅱ局面を経て、環境との「共存」という、永続する幸福な高原である第Ⅲ局面に入ります。

紀元前1000年以後の爆発的な増殖と繁栄によって、地球という環境条件の限界にまで到達した人間は、「ロジスティック」の法則に従って加速度的な増殖を停止しました。

人間は今、地球という環境条件に対する「征服」と「搾取（さくしゅ）」という敵対的なモードを固持し続けて、破滅した過去のいくつかの生物種の道をたどるか、あるいは、「共存」のモードに切り替えて永続的な生存の地平に入るか、という岐路に立っています。

軸の時代Ⅰ／軸の時代Ⅱ

カール・ヤスパースが人間の「歴史の起源」として着目する〈軸の時代〉とは、世界の大思想、大宗教が相次いで出現した時代で、彼はこれを紀元前800年から200年までとしていますが、ぼくの考えでは、〈軸の時代〉はヤスパースが考えるより200年新しく、紀元前600年から0年くらいまでです。

この期間に、仏教、儒教（じゅきょう）、キリスト教という世界の大宗教と、古代ギリシャのアテネとエーゲ海をはさむその植民地ミレトス等を中心として、世界に初めての「哲学」のさまざまの思想が一斉に出現します。

紀元前600年頃に出現し、急速に波及した貨幣経済のシステムを起動力として、広い交易システムが成熟し、それ以前の村々などの小さい共同体の内に安住していた人々の人生は、急速にこの拡大する交易世界の内に投げ出され、人々は、この突然開かれた世界の「無限」という真実の前に戦慄(せんりつ)し、「無限」という真実を理解して生きる思想を求めました。

貨幣経済を起動力として、人々はこの「無限」と思われた世界を征服し搾取し続け、この宇宙の中で唯一であるかもしれない繁栄を謳歌(おうか)しました。見てきたように、20世紀後半になってこの惑星の限界があきらかとなり、3000年前にこの世界の「無限」という真実の前に恐怖し戦慄した人間は、今、この同じ世界の「有限」という真実の前に恐怖し戦慄しています。〈軸の時代II〉というべき、21世紀の思想の根本課題は、世界の「有限」という真実への対応であるといえます。

これが人間という生命種にとって、世界に対する征服と搾取のモードから、世界との「共存」というモードへの切り替えによる、ロジスティック曲線の第III局面への移行という課題と同じものであることは、いうまでもありません。

現代資本主義の輝きと矛盾

——際限なく利潤を求める資本主義は近年、行き詰まりを見せています。見田さんは、資本主義の「光」と「闇」の両方を捉え、双方を「みはるかす」統合の視点を持って思考を紡いでこられました。

先ほど述べた、人間の歴史上初めてとなる大きい転換の具体的な構造については、現代資本主義の輝きと矛盾ということで、きちんと押さえておこうと思います。

20世紀の終わり近くまでの世界は、知られている通り、「資本主義対社会主義」という東西二大陣営の「冷戦」の時代といわれています。この時代までの「古い資本主義」は、生産力の限りない発展に需要の方が追い付かず、ほぼ10年ごとの「恐慌」を繰り返し、この恐慌を避けようとすれば、「戦争」という非人道的な仕方で、大きい需要を無理に作り出すほかはなかった。資本主義は「死の商人」として、社会主義の側から非難されていました。

しかし、20世紀後半の資本主義は、情報化と消費化の力によってこの「古い資本主義」の矛盾を乗り越えて、長く続く繁栄の時代を実現しました。

「車は見かけで売れる」ことを信じたＧＭの、フォードに対する勝利は典型的なエピソードですが、デザインと広告とクレジットという「情報化」と「消費化」の連動する力によって人々の欲望を無限に開発することを通して、限りない需要を資本主義が自ら作り出し、恐慌を避け永続する繁栄の幾十年かを20世紀後半には実現し、社会主義との競合にも勝利して、幾十年もの資本主義的な繁栄の時代を実現しました。

この「情報化」と「消費化」の連動による、欲望の無限の開発と市場の無限の繁栄という「資本主義のユートピア」は、無限であるように見えたのですが、実は矛盾がありました。このユートピアは、人間の欲望の無限の開発とこれに対応する生産の無限ということがその内容ですが、実はその起点における生産の無限ということは、現実には地球という惑星の資源という有限性の限界に到達してしまい、その消費の終点においても、地球環境の汚染と破壊を通してこの惑星の有限性に到達してしまった。

３０００年前、貨幣経済の力によって世界の「無限」のなかに人生を投げ出され恐怖した人間は、この「無限」という現実に対応する思想と貨幣経済の力によって、惑星環境を征服し搾取しつくした結果、最終的かつ現実的に、この惑星環境の「有限」性に到達し、この世界の「有限」性という現実を直視し、乗り越える思想とシステムの確立という、切実な課題の前に立たされている。
欲望を押し進めて世界を征服し搾取するのではなく、欲望の方を世界に合わせるという「仏教的」なゆき方に対しては、ぼくも子どもの頃は反発していたのですが(笑)、よく考えてみれば、世界の「有限」が明らかとなった第Ⅲ局面においては、この方がはるかに合理的なのです。学生運動をやっていた頃、「きみと世界との戦いでは、世界に支援せよ」(※注)という言葉があって、かっこいいと思っていましたが(笑)。

〈幸福感受性〉というキーワード

——コロナ禍や気候変動といった地球規模の難局に直面する現代社会の先に広がる世界を、「高原の見晴らし」と表現されています。この見晴らしを切り開くために、私たちが持つべき思想や心構えについて教えてください。

「史上空前の」「未だ経験されたこともない」という災害や異常気象の報道が、毎年のように見られるようになりました。つまり、人間という生命が幾十万年もの間、安心して、その上で生を続けてきた安定した循環の軌道が壊れて、未知の不可逆的な解体の軌道へ、落ち込み始めているということです。

人類がこれまで安心して前提し、依存してきた地球という惑星の、安定した循環という前提が解体しようとしているということが、ロジスティック曲線の第Ⅱ局面の終わりに立っているということでした。

人間の歴史のこの大きい岐路に、実際にこれからの歴史を担う世界の若い世代は、どのような価値観をもち、どのような生を選ぼうとしているのでしょうか。

1980年代以来行われてきた大規模な「世界価値観調査」は、驚くべき結果を示しています。80年代に世界で最も早く経済成長課題の達成を完了して、脱高度成長社会として成熟してきた西・北ヨーロッパ（フランス、イギリス、ドイツの旧西独地域、スウェーデン、ノルウェー、デンマーク）の地域では、若い世代の間で「非常に幸福」と感じている人々が、着実に一貫して増え続けてきたのです。

この世代が、具体的にどのようなことに「非常に幸福」を感じているのか、2010年にフランスで行われた、若い世代の「非常に幸福」の内容を追求して問う調査は、さらに考えさせられる内容でした。その「非常に幸福」の具体的な内容は、カフェでの友人たちとの会話、波に飛び込む身体の感覚、背中に触れる恋人の指の感触、樹々を渡る風の感触、夕食後の家族の会話、等。特に新しく「現代的」な幸福のかたちがあるのではなく、身近な人間との交流や、自然と身体との感触など、人間の歴史の中で以前からよく知られている、〈幸福の原層〉ともいうべきものばかりでした。

同時にそれらは、大規模な世界環境の搾取を必要とすることもなく、大規模な環境の汚染解体を帰結することもないものばかりでした。

世界に対する限りない「征服」と「搾取」という第II局面から、世界との「共存」という第III局面への移行は、欲望の方を世界に合わせるというものですが、それは決して「禁欲的」「抑圧的」なものではなく、他者や世界との交流と交感の内に敏感に幸福を感じ取る、〈幸福感受性〉の獲得というべきものでした。

この〈幸福感受性〉の開放と、〈単純な至福〉の実現ということが、世界との「共存」の局面への移行にとっての実践的なキーワードであると、ぼくは考えているのです。

※注
チェコ出身の作家カフカ（1883〜1924年）の言葉

2021年8月5日付掲載

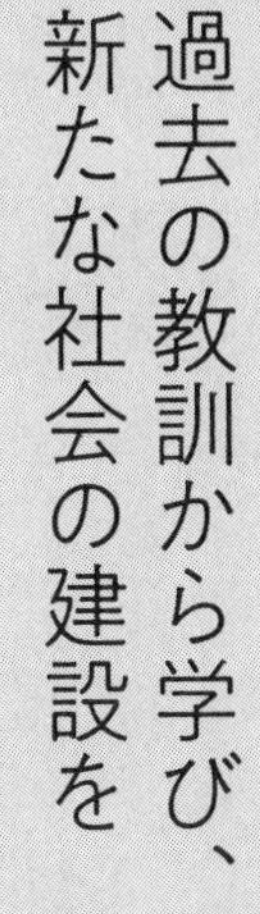

過去の教訓から学び、新たな社会の建設を

イギリス帝国現代史の大家であるマクミラン名誉教授。私たちは、過去の歴史から何を学び、どうコロナ禍を乗り越えていけばいいのか。

マーガレット・マクミラン

英オックスフォード大学名誉教授

Margaret MacMillan
カナダ・トロント出身。英首相ロイド・ジョージの曾孫。トロント大学で修士号を取得後、オックスフォード大学セント・アントニーズ・カレッジで博士号を取得。同大学の国際史教授、同カレッジ学長等を歴任し、名誉教授に就任した。現在は、トロント大学教授。ウエスタンオンタリオ大学など多数の大学から名誉学術称号を受章し、２０１８年には、英王室からコンパニオンズ・オブ・オナー勲章を授与された。第1次世界大戦後のパリ講和会議を描いた代表作『ピースメイカーズ』など多数の著書がある。

「現代人の思い込み」が生んだコロナ禍の衝撃

――今回のコロナ禍と、ペストやスペイン風邪など過去の感染症のパンデミック（世界的大流行）の違いについて、どのように考えておられますか。

まず申し上げたいのは、現代の私たちは、過去の人類に比べてリスクに不慣れになっていたということです。薬品や治療法の飛躍的な発達によって、がんやエイズなど、かつては治療不可能と考えられていた病気も克服できるようになりました。私たちは、どんな医療的困難が訪れたとしても、それを制御できると思い込んでいたのです。

これに対し、14世紀の欧州では、医療は未発達であり、病気で命を落とすことは日常の出来事でした。ペストに襲（おそ）われた当時の人々にとって、「死」は決して特別なものではなかったのです。人々は、どんなに努力しても治療できない病気があることを理解しており、突然の「死」に対して慣れていたわけです。

スペイン風邪が猛威を振るった20世紀前半でも、現在と比べれば「死」はもっと身近な存在でした。

腸チフスやコレラなどの疾病（しっぺい）は一般的で、女性が出産で亡くなることも多くありました。若い人も老人と同じように突然亡くなりました。「死」は突然訪れるものであり、人間ができることは限られている――人々は、そう考えていたのだと思います。

また、スペイン風邪が流行したのは、８５０万人が戦死した第1次世界大戦の終わり頃です。当時のパンデミックに関する証言や文学作品が少ないのは、戦争、革命、飢餓（きが）など、命に関わる他の動乱があまりにも大きかったからでしょう。パンデミックは、複合的な危機の一つでしかなかったのです。

一方、医療が急速に発達した現代にあって、私たちは「死」を身近なものとして直視せず、リスクに対し不慣れになっていました。そうした中で新型コロナのパンデミックは、人間と社会の脆弱性（ぜいじゃくせい）を浮き彫りにしました。だからこそ、私たちは極めて大きな衝撃を受けたのだと思います。

――コロナ禍と過去のパンデミックとの類似点については、どうでしょうか。

時間差はありましたが、これら過去の感染症も、欧州だけでなく中央アジアや中東など広範な地域に広がりました。

また、人々の反応が多岐にわたったということも、大きな類似点であると思います。ペストに見舞われた中世欧州でも、病気の存在自体を否定する人からパニックを起こす人まで、さまざまでした。自分たちの身を守ることだけを考える人もいれば、ボランティアグループを結成して、互いに助け合う人々もいました。

今回のコロナ禍でも、その危険性を疑問視する人から、懸命に感染抑止に協力する人など、さまざまな反応が見受けられます。

陰謀論（いんぼう）が流行した点も、当時と今で共通しています。中世欧州では、陰謀論者がユダヤ人などのマイノリティー（少数派）に責任を押し付けました。

今日も、事実に基づかない偽情報が蔓延し、パンデミックの原因を巡って、大国同士が互いに非難を繰り返しています。700年たっても、人間の本質というのは、たいして変わっていないのです。

第1次世界大戦の教訓は「自己満足」と「油断」

——博士は論考「コロナ後の世界——歴史からの視点」の中で、第1次世界大戦など過去の危機とコロナ禍を比較し、三つの教訓を提示しています。①現状に安心し油断する「自己満足」、②自分と違う意見を受け入れない「狭い視野」、③危機が過ぎるとすぐに以前の状態に戻ろうとする「経験から学ぼうとしない姿勢」です。

とりわけ警戒しなければならないのは、「自己満足」に陥って油断してしまうことです。その危険性は、第1次世界大戦が勃発する過程が如実に表していて、コロナ禍に立ち向かう私たちも肝に銘じるべき点です。

1914年に世界大戦が始まるまでの数年間、ボスニア危機（08年）、イタリア・トルコ戦争（11年）、バルカン戦争（12年と13年）と、いくつかの危機が続きました。列強諸国は、それぞれの危機をどうにか切り抜けることができましたが、〝軍事力の威嚇だけでも効果はあるし、たとえ局所的な戦争に至ったとしても最後は話し合いで解決できる〟という「油断」を生みました。

第1次世界大戦の引き金となったオーストリア皇位継承者暗殺事件が起きた後でも、一般市民も含めた多くの人々が、〝今回の危機も結局、以前の危機のように平和裏に終わるだろう〟と考えていました。

しかし武力をちらつかせた瀬戸際外交は、すでに脆弱だった欧州の国際秩序を突き崩し、自国の不利益を未然に防ぐための予防戦争へと列強諸国を駆り立てました。つまるところ、〝今回も以前のようにうまくいくだろう〟という「油断」が、かつてない規模の戦争へと人々を突き落とした要因の一つになりました。

翻(ひるがえ)って、私たちが直面するコロナ禍はどうでしょうか。感染拡大初期に、〝どうにかできるだろう〟という「油断」が、死者数の多い各国政府にあったことは否めません。

そしてワクチン接種が進んでいる今、私たちが懸念しなければならないのは、「結局のところ、すぐにワクチンが開発され、想像していたよりも犠牲者は少なかった。今回も何とかなった」と油断してしまうことです。

私は疫学者ではありませんが、次のパンデミックはほぼ確実に起こると考えた方がいい。例えば5年後に、私たちが「あの時は大変だったね。でも、もう大丈夫」と振り返っているだけのような状況は避けなければなりません。

――博士は同論考で、戦争の歴史を振り返り、危機が社会の価値観を根本的に変革し得ると論じています。コロナ禍にも、そうした可能性はあるのでしょうか。

パンデミックと戦争は別次元の話であり、安易に比較すべきではありませんが、ともに平時ではなく非常時であり、より大きな権力と独断的な措置が必要になる点は共通しています。そうした意味で、既成概念や社会の前提を変え得る要素をはらんでいるといえます。

例えば先の大戦では、特定の職種に女性は就くべきではないという既成概念が覆りました。はっきりとは言えませんが、今回のコロナ危機においても、私たちが自分自身をどう捉えるのか、政府についてどう考えるのか、そして政府と市民がいかに協力していけるのか、そうした意識に根本的な変化が起こるのではないでしょうか。

ある特定の人種コミュニティーがより甚大な被害を受けていることが示すように、コロナ禍は、不平等、格差、分断といった問題を改めて浮き彫りにしました。加えて、私たちの目の前には、気候変動、各国で増幅する偏狭な国家主義など、人類の行方を左右する大きな課題が山積しています。

これらにうまく対応し、安定した国際社会を築くためには、社会の価値観と一人一人の行動の変革が求められているはずです。


――具体的に、どのような変革が望ましいと思われますか。


私たちはコロナ禍を通して、人間は「協力」なしでは何もできないことを改めて知りました。政府がリーダーシップを発揮し、国民が「協力」できた社会は、死者数を少なく抑えられています。日本や韓国など東アジアの国々には、欧米諸国と比べ、強い共同体意識と社会的責任の感覚があります。政府の対応も効果的だったのでしょう。それが違いを生みました。

一つ確かなのは、「個人主義」が危険をもたらすことを、欧米諸国が学んでいる点です。自分と家族のことだけを考える傾向が強い社会は、より大きなリスクにさらされる。私たちは、「協力」や「団結力」といった価値の重要性を、コロナ危機から学んでいます。

政府の役割がいかに重要であるかも、私たちは再確認しました。ロックダウン（都市封鎖）をはじめ、生活支援、経済刺激策、ワクチン接種など、政府による大規模な施策なくして、感染症とは戦えません。大きな政府は成長の障害であり非効率的であるため、極力その役割を小さくするべきだという「新自由主義」の革命が、1980年代に始まりましたが、その潮流は終焉に向かいつつあります。危機に対応するには、「良い政府」が欠かせません。

国際的な協力と市民の参画が鍵

――今月（2021年8月）、広島と長崎は原爆の投下から76年を迎えます。第2次世界大戦後、日本は平和を希求し、さまざまな形で国際社会の発展に貢献してきました。

日本は、国際社会で非常に重要な役割を果たしています。私の母国カナダと同じように、国際機関、多国間主義を力強く支持し、国際秩序の構築と維持に多大な貢献をしています。これまでと同じように、共々に国際秩序を信じ、守っていってほしいと願います。

各国が「協力」できる世界を実現しなければ、人類の未来はありません。例えば気候変動の問題一つとっても、全ての国が協力できなければ、人類全体が被害を受けることになります。気候変動は既に紛争を生み、人々に移住を強い、多くの命を犠牲にしています。私たちが協力し、安定した世界を築く以外に、この問題を乗り越える道はないのです。

――気候変動などの地球的問題に対して、〝普通の市民〟ができることは限られている、と言う人もいます。

〝自分には、どうせ何もできないし、行動しても意味がない〟と投げ出してしまうのは簡単です。しかし、危機に強い社会を築くために、私たちにできることが必ず何かあるはずです。地域の行事に関わること、気候変動のような社会問題の解決のために活動すること、あるいは政治に積極的に参画することなど、さまざまな方法があります。

一人一人の市民が、それぞれの道で積極的に関わっていかなければ、健全な社会は決して築けません。もちろん一人の力で全ての問題を解決できるわけではありません。だからといって、心のドアを閉めて、諦(あきら)めてはいけないのです。

他者に対する一人一人の姿勢は、その社会の特質の醸成に寄与します。第1次世界大戦後の荒廃した欧州社会にあって、人々は心を閉ざし、他者を責め、独善的な国家主義が台頭しました。そして多国間の人的・経済的交流が衰退していき、やがて2度目の世界大戦へと突入していったのです。

第1次大戦と第2次大戦の戦間期の教訓から学ぶべきは、〝自分たちさえ良ければいい〟という偏狭（へんきょう）な国家主義にとらわれてしまえば、世界的な危機を解決できないどころか、危機が連鎖してしまうということです。

コロナ危機から「良き変革」を生み出すのだとの希望を失わず、失敗からは謙虚に学び、決して油断せず次の危機に備える。冷戦後の新たな世界秩序がいまだ存在しない社会だからこそ、危機を乗り越えるための、私たち一人一人の生き方が問われているのではないでしょうか。

2022年1月29・30日付掲載

事実を冷静に見つめる姿勢と常識で科学の発展と向き合う

短期間でのワクチン開発に象徴されるように、コロナ禍以降、科学技術の動向が世界で注目を浴びるようになった。危機の時代を生きる上で、科学といかに向き合うか。

村上陽一郎

東京大学名誉教授

むらかみ・よういちろう　1936年東京都生まれ。東京大学大学院人文科学研究科博士課程修了。東京大学先端科学技術研究センター、国際基督教大学、東京理科大学大学院教授、東洋英和女学院大学学長などを歴任。専門は科学史、科学哲学。著書に『ペスト大流行』『文明のなかの科学』『科学史・科学哲学入門』『ウイルスとは何か』（共著）など。

ワクチン開発は画期的な成果

――コロナ危機となって約2年。科学を取り巻く現状や課題に対して、どのように感じておられますか。

今回のコロナ禍において、科学の持つ可能性が鮮やかに表れたと思います。

ワクチン開発について言えば、非常に短期間で有効なものが複数実用化され、感染抑制に一定の効果を上げました。21世紀に入って流行したＳＡＲＳ（重症急性呼吸器症候群）やＭＥＲＳ（中東呼吸器症候群）も、新型コロナウイルスと同じ「コロナウイルス科」に属しますが、この二つに関しては、ワクチンが開発されないまま収束しました。そう考えると、今回のワクチンは画期的な成果だと言えます。

この背景には、流行初期の段階で、中国の科学者らによって、新型コロナウイルスの遺伝子情報がインターネット上に公開されたことが挙げられます。これにより、各地の研究所が早い段階で開発に着手でき、短期間での実用化に至りました。感染拡大を防ぐために、世界中の科学者が手を取り合えたことは、大きな希望と言えるのではないでしょうか。

分かったことを踏まえて動く

――ウイルスに関連して、「永久凍土などに閉じ込められていたウイルスが、地球温暖化などの影響で融解することで、大気中に漏れ出す」といった言説も話題を呼びました。

そうですね。ここ数年で、地球温暖化についても次々と新たな事実が発見されています。例えば南極の氷ですが、温暖化で極圏の気温が上がれば、降雪量が増え、氷が増えるのが道理ですが、最近の研究では、氷の総量が急速に失われつつある実態が明らかになっています。北海道大学の杉山慎教授の『南極の氷に何が起きているか』（中公新書）によれば、年間約100ギガトンもの氷（海水面が0・3ミリ上昇）が失われ、その速度は近年加速している可能性が高いようです。（※注1）

もちろん、現代の科学では、地球温暖化という現象について全体像を把握するには限界がありますし、まだ分からないことも多く存在します。しかし、全てが解明されていないから何もしないというのではなく、分かったことを踏まえつつ、温暖化を防ぐために、今からできること、今できる対策を取っていくことが大切だと思います。

常に〝ベター（より良い）〟な選択を

――ワクチン接種についても同様のことが言えるのではないでしょうか。時間を置けば、感染メカニズムがより詳細に分かり、精度の高いワクチンが完成するかもしれませんが、早い段階でワクチン接種に踏み切ったからこそ、感染抑制につながった面もあります。

そうだと思います。私がコロナ対策において感じたのも、他国の発表や政策を横目にしつつも、これが最善という「ベスト」ではなく、むしろ「ベター」な解決策を選択する柔軟性が肝要だということでした。

そもそも、現代の科学では、新型コロナウイルスの感染メカニズムなどについて、全てが分かっているわけではありません。そうした中にあって、待てば待つほどベターな対策も出てくるでしょうし、さらに時間がたてば、もっと良い対策が生まれるでしょう。しかし、そうしたベストを待ち続けていれば、いつまでたっても何もできません。

一方で、これがベストだと思い込んでしまうことも、別の新たな方法が見つかった際に受け入れられず、結果として事態を悪化させてしまう可能性もあります。

大事なことは、今、分かっている事実から、ベターな解決策を地道に実践する姿勢です。

その意味で、作家で精神科医の帚木蓬生氏が提唱する「ネガティブ・ケイパビリティ」（答えの出ない事態に対して耐える能力）は、コロナ禍にあって重要な概念であると考えています。

これまでの社会では、ある問題に直面した際、原因を手際よく調べ、即座に解決策を提示して実行する「ポジティブ・ケイパビリティ」が奨励されてきました。もちろん、時間をかけずに課題解決に臨む姿勢は欠かせません。その上で、私が危機感を抱くのは、社会全体がポジティブ・ケイパビリティ〝一本槍〟で進んでしまってきた点です。

しかし、現代社会には感染症に限らず、地球温暖化やエネルギー問題など、単純に答えの出ない問題も多く存在しますし、そうした中にあって、ベストだけを求めていては、いつまでも問題解決には進みません。たとえベストでなかったとしても、ベターと思う解決策があれば、それを実行していく。よりベターが見つかれば直ちに切り替える。そうした柔軟な（よくアジャイルという言葉が使われます）姿勢は、これからの時代を生きる上で希求されるものでしょう。

未知の事態にはデマがはびこる

――単純に答えの出ない問題と向き合うには、忍耐が必要です。そこへのいら立ちからでしょうか。今回のコロナ禍においても、SNSには「これが答えだ」と言わんばかりのデマが横行しました。

私にも記憶があります。

例えばSNSで一時期、「新型コロナウイルスは耐熱性がないから、26～27度のお湯を飲めば死ぬ」という言説が拡散しました。しかし、人間の体温は36度前後なので、ウイルスが体内に入った段階で死滅することになり、この理屈は破綻(はたん)します。

また「コロナは単なる風邪だ」と真面目に主張する国の指導者もいましたが、現在、〝単なる風邪〟によって世界で500万人以上もの命が失われています。その指導者は、現状をどう釈明するのでしょうか。

ましてや感染症のような未知の事態にあっては、人々に不安が広がり、デマがはびこりやすい。そうした情報に翻弄(ほんろう)されず、賢明な判断をするためには、専門家の提示する「科学的合理性」とともに、個々人の健全な「常識」が肝要になってきます。

今回も感染抑止のため、手洗いの徹底や3密（密閉・密集・密接）の回避といった「新しい生活様式」が提唱されましたが、こうした事項のいくつかは、もともと蓄積されてきた科学的常識を強調しただけであって、決して新しいものではありません。

これは私の父親が医者だったこともありますが、私も子どもの頃から、お金や電車のつり革など、他人が触れるものを自分が触れた際には、帰宅後に必ず手洗いをするよう、父から言われてきました。それが当時の一般常識でしたし、感染症等から自分の身を守る知恵が、社会の中にも根付いていたと思います。

ところが、現代社会は医療技術も発展し、衛生観念がなおざりにされるほど、私たちはそうした技術を信じ、頼り切ってしまった。いわば技術ばかりを取り入れ、科学的な姿勢を重んじてこなかったということです。そうした中で常識の重要性が片隅に追いやられ、一人一人の判断力・警戒心も低減してしまったのではないかと考えています。

「科学信仰」は持つべきでない

——科学への盲信は危険ですね。

科学は常にベストを提供してくれると思う人もいるかもしれません。しかし、科学にも限界はあります。もちろん、科学の発達とともに、その可能性は大きく広がっていますが、私は何もかもが科学で解決できるという「科学信仰」は持つべきではないと考えます。むしろ科学が進歩すればするほど、使用者である一人一人の科学的な姿勢や常識といったものが求められていくと思っています。

ワクチン接種も、その一例でしょう。

ワクチンの名称の由来は、雌牛を意味するラテン語の「vacca」です。天然痘が猛威を振るっていた18世紀、イギリスの医師であるジェンナーが「牛痘」を用いて予防接種を始めたことから、この名が付けられました。健康な人間に、あえて病原体を接種して免疫力を獲得させるのが、ワクチンの基本的な仕組みです。そのため、人によっては副反応が出てしまうのは避けられません。

もちろん、技術も進歩しており、その副反応のリスクも低くなってきましたが、ゼロリスクにはなりません。その上で、今回のワクチン接種は、個々人の命を守る上で、相当の効果があったことは否定できない事実です。そうしたワクチンのデメリットとメリットを理解した上で、どう選択するかは、そうした事実を冷静に見つめる科学的な姿勢や、個人の判断、常識に委ねられているわけです。こうした姿勢や常識といったものを、いかに醸成していけるかが、科学と向き合う上での切実な課題であると思っています。

――科学的な姿勢を育む上で、どのようなことが必要と考えておられますか。

先ほどＳＮＳの話題になりましたが、デマやフェイクニュースが拡散された一方、有益な情報が広まったのも事実ですから、ＳＮＳそのものが一概に悪いとは思いません。むしろ社会に普及されたこの技術を通し、科学的な根拠に基づく議論が深まっていく可能性を模索していく方が価値的ではないでしょうか。一つの方向性として、インフルエンサーと呼ばれる拡散力のあるユーザーが、どのような発信をするかが問われてくると思います。

教育の観点でいえば、現行制度では、高校2年になると文系・理系にカリキュラムが分かれます。その段階から、文系を選択した学生は理系科目を、理系を選択した学生は文系科目を学ばないまま社会人になる場合が少なくありません。そうした制度にあっては、横断的な知識を体得することはなかなか難しいと考えています。

「アクロス・ザ・カリキュラム」という言葉がありますが、例えば英語の授業で理科教育を行うなど、教科の枠にとどまらない授業設計も必要でしょう。

現在は、大学での教養教育ばかりでなく、大学院でも教養教育を導入する「後期教養教育」が広がりつつあります。専門家だからこそ、広い視野に立つ教養を培う方向が模索されているわけです。今後、日本の教育制度全体が、こうした方向にシフトしていくことを期待しています。

地域の人と意見交わす場が大切

――科学的姿勢を育むために、個人レベルで、できることはあるのでしょうか。

一人一人が科学の基礎を学ぶことはもちろんのこととした上で、ここでは、その一つのヒントとして、ヨーロッパ諸国で導入された「コンセンサス会議」を紹介します。それは社会的に影響のある議題が現出した時に、専門家だけでなく、非専門家も交えて行われる会議のことです。

かつて、日本でも北海道が遺伝子組み換え作物（ＧＭＯ）の研究を推進することに対し、訴訟になるほどの意見対立がありました。そこで北海道大学が主導してコンセンサス会議が設置され、さまざまな年齢・立場の人が参画し、時間をかけて討論を行いました。また、この経過を地域住民も確認できるよう、一般にも公開されました。度重なる議論の末、ＧＭＯの栽培ルール等を定めた条例が成立し、厳しい条件付きではありますが、ＧＭＯを栽培できる圃場（ほじょう）が確保できるようになりました。

個人レベルにおいて、専門家が入っての議論の場をつくることは難しいかもしれませんが、地域の人々と議論の場をつくったり、意見を交わしたりすることはできるのではないでしょうか。そうした議論は、科学的な姿勢や常識を育んでいく上で大切だと思います。

求められる〝つながり〟の価値

――創価学会ではコロナ禍以降、感染対策に関して、青年部と医学者との会議を定期的に開催してきました。そして、そこで語り合われた内容は聖教新聞でも紹介し、それを多くのメンバーが学び、地域の友とも共有してきました。

「コンセンサス会議」のポイントは、専門家と非専門家とが、それぞれの立場から一つの問題に協力して立ち向かうための基礎を確保することでした。こうした場の存在は、個々人の健全な常識を育む上でも非常に有効だと思います。

今後も簡単に答えの出ない問題は続いていきます。そうした中にあって、そのようなつながりがあるということ自体が一つの強みですし、そのつながりの価値は、ますます求められていくのではないでしょうか。

現代科学は宗教と決別して発展

――私たちの生活に、密接に関わる「科学」。その成立と発展について、宗教はどのように寄与してきたのでしょうか。

一見すると、科学と宗教は相いれない関係性のように思うかもしれません。しかし、歴史学者のリン・ホワイトが著書『機械と神』（みすず書房）の中で、「（キリスト）教会は西欧思想の〈母胎〉ではないにしろ、少くとも〈子宮〉である」と述べたように、西欧に誕生した科学技術文明にはキリスト教の影響があります。彼は、むしろ、自然破壊の歴史的な源泉をそこに求めたのですが。

キリスト教の世界観によると、自然界の全ては神によって造られており、中でも人間は「神に似た唯一の被造物」として特別に位置付けられています。この考えに立つ時、全ての自然現象には、漏れなく神の意志や神の真理が内在していることになり、〝神の似姿〟である人間は、少なくとも、その一部を読み取れるという発想が芽生えていくわけです。そして人間は、その真理を理解しようと自然現象を観察し、そこから規則性を探求していくのです。こうした営みの蓄積が近代科学の基礎となりました。

一方、現代科学は、宗教と決別することで発展しました。科学技術の力が増大し、その力によって現実の課題が一つ一つ解決されるようになると、人類はさまざまな苦悩から解放されていきます。それは、まさに宗教が提示してきた〝救い〟であり、それは科学技術による〝救い〟に置き換わっていきます。そして神を追いやり、自然界の主となった人間は、人間の都合の良いように自然を制御し、支配するという発想になっていくのです。

もちろん科学技術が進歩したことで、私たちの暮らしが良くなったことは否定できない事実でしょう。しかし、宗教と決別したことで、人間の幸福や、より良き人生などを追求してきた科学は、人間の欲望や好奇心を満たすための手段へと変遷していくのです。

〝何のため〟を問い直す時期に

——科学技術の発展で、人類は便利で豊かな生活を手に入れた一方、その科学技術がもたらした核兵器などによって、脅威（きょうい）にさらされています。

最近では、人工知能（AI）を備えた「自律型致死兵器システム（LAWS）」と呼ばれる殺人ロボットなども、問題になっていますね。LAWSの開発が進んだ要因として、自軍兵士の人命の保護が挙げられますが、これは軍事の責任者から見れば、自分の兵士は殺されたくないが、相手の兵士は殺したいという発想です。そのために殺人ロボットを開発するというのは、人命の尊重という点で、大きな矛盾（むじゅん）をはらんでいることは明らかです。

思えば、数ある哺乳類の中で、人類ほど同族を殺すために知恵と力の限りを尽くしてきた存在はいません。一体、どこで何を間違ってしまったのでしょうか。いずれにしても、地球的課題を克服し、持続可能な社会を築いていくためにも〝何のための科学か〟を問い直す時期に来ていると思います。

――最近では、親の希望に沿って、生まれる前の子の遺伝情報を編集する「デザイナーベビー」など、生命倫理に関わる問題も浮上しています。科学技術が発展するほど、その発展の基盤となるべき哲学の必要性は、より高まっているのではないでしょうか。

私もそう思います。

1995年、わが国の科学技術政策の方針を定めた「科学技術基本法」が制定された際、その「科学技術」の定義には「人文科学のみに係るものを除く」と明記されていました。人文科学というのは、まさに人間が生み出した科学技術をどのように使っていくか、その中で人間社会をどのような方向に持っていくべきかなどについて探究する学問ですが、科学技術の発展を目指す上で、そうした学問は蚊帳(かや)の外だったわけです。

現在の「科学技術・イノベーション基本法」では、そうした除外規定は削除され、日本においても、科学技術におけるELSI（倫理的・法的・社会的課題群）などが注目されつつあることは、一つの希望だと感じています。

そうした流れは、まだ始まったばかりという段階ですが、人文科学も含めた多角的な視点から科学技術の影響を予測・検討する営(いとな)みは、科学と社会との〝橋渡し〟という観点からも重要です。

課題は山積していますが、〝何のための科学なのか〟を裏付ける哲学の重要性を主張し続け、技術開発の根底に根付かせていきたいと思っています。

「人間の拡大」が変革につながる

――科学技術を生み出すのは人間であり、使うのも人間です。だからこそ、科学技術の発展とともに、人間自身が成長していくという視点も欠かせませんね。

その意味で、私は「人間の拡大」が重要であると考えています。

先ほど、近代科学は人間が自然現象を観察し、そこから規則性を探求していく中で発展したことを述べましたが、その時、主体は人間であり、客体は自然という確固たる関係がありました。一方、現代科学は人間自身の心や身体も観察の対象、つまり客体となったのです。その結果、心理学や医学などは飛躍的に進歩しましたが、客体の世界が拡大したことに伴い、主体であったはずの人間という概念が縮小されてしまったのです。加えて現代科学は、人間に欲望のままに生きることを促（うなが）してきました。

しかし、人間には、欲望を抑制する意志もありますし、より良い社会を築きたいという理想を持つこともできますし、たとえ民族や文化は違っても結び合っていく力があります。そうした人間の可能性に目を向け、人間の精神を高めていく。いわば「人間の拡大」が、科学技術のあり方を変え、社会全体の変革につながっていくと思うのです。

——「人間の拡大」は、創価学会が目指す「人間革命」の運動とも共鳴すると感じます。人間革命とは、信仰を根本に一人一人が自分自身の変革に挑戦し、地域を変え、社会を変えていく運動です。

私自身もカトリック信仰を持っていますが、科学教育に携わってきた一人として、科学と並行して、人間の理性の限界を超えるものへの懼れがなければ、社会は破綻してしまうのではないかと憂慮しています。

ただ難しいのは、特に日本社会においては、宗教に対する興味・関心は全体的に低いと言わざるを得ない状況にあることです。もちろん、個々人の心底には宗教心なるものは存在すると思います。しかし、葬式や七五三といった宗教的儀礼を大切にするという程度で、宗教的な思想やエネルギーを社会に現出させるような力は、ほとんどないのが現状ではないでしょうか。

宗教心が社会に根付くためには

――そうした社会に宗教心を根付かせるためには、何が必要とお考えですか。

宗教と縁遠い人がほとんどの中で、いきなり教義を理解してもらうのは難しいでしょう。キリスト教思想家の内村鑑三（うちむらかんぞう）（※注2）は、『余はいかにしてキリスト信徒となりしか』（岩波書店）の中で、自らの「回心体験」についてつづっています。「回心」とは、心が百八十度ひっくり返るような大転換を意味します。19世紀末、アメリカのアマースト大学に留学した内村は、シーリー学長との出会いを契機に回心に至ります。

同書には、その時の心境がつづられています。

「私に最も大きな影響を与え私を変えたのは偉大な学長自身でありました」

「貴重な教えを、偉大な学長はその言行を介して私に教えたのでありました」

ここで重要なのは、内村が、学長からキリスト教の奥義（おうぎ）を聞かされたわけではなく、「言行を介して」とあるように、学長の生きざまや人間性に触れ、回心に至ったという点です。

カトリックには「信徒使徒職」という考えがあります。聖職者だけではなく、世俗に生きる人々も、キリストの教えを伝え広める使命を有しているということです。いわば信仰を持つ一人一人が、その宗教の代表であるという自覚で生き、周囲の人々に影響を与えていくことです。

これは、なかなか難しいことですが、信仰を持つ一人一人が、そうした生き方を貫いていく中で、宗教心も地域や社会に根付き、ひいては科学技術を支える哲学になっていくのではないでしょうか。

信仰持つ人々の行動が鍵

――信仰を持つ一人一人の振る舞いが、大切ということですね。

信仰者として生きることは、もちろん簡単なことではありません。私自身が、それをできているかといえば、自信はありませんが、そういう信念で生きてきました。

そうした信念で行動する人が一人でも増えれば、それが周囲に触発を与え、社会全体をより良い方向に導いていけると信じています。

※注1

数年前までは、地球温暖化が進んでも南極の氷は減らないという学説が一般的であった。温暖化によって海水温が上昇し、大気中の水蒸気量は増えるものの、その水蒸気は南極大陸に流れていく中で冷やされ、雪となって降り積もると考えられていたからである。しかし、最近の調査では、海水温の上昇によって海水と接する部分の氷の融解が急速に進んでおり、それは降雪によって増加する氷の量よりも多いことが明らかになった。

※注2

1861〜1930。近代日本を代表する宗教家・思想家。日本が誇る歴史的な人物を海外に紹介するために著した『代表的日本人』では、西郷隆盛、上杉鷹山（ようざん）、二宮尊徳、中江藤樹（とうじゅ）と共に日蓮大聖人を取り上げている。

動いて集まり、語る中で人類は共感を育んできた

AI(人工知能)の進化など、近年、人々の暮らしは大きく変わった。変化の時代における「人間らしさ」を、霊長類研究の視点を通して発信し続けてきた山極所長に聞いた。

山極寿一

総合地球環境学研究所所長

やまぎわ・じゅいち　1952年、東京都生まれ。霊長類学者・人類学者。京都大学理学部卒業、同大学院理学研究科博士後期課程単位取得退学。理学博士。1975年からニホンザルやゴリラの野外研究に従事し、類人猿の生態研究をもとに人間社会の由来を探っている。㈶日本モンキーセンター・リサーチフェロー、京都大学大学院理学研究科教授、京都大学総長(2014年10月~2020年9月)等を経て、現在、総合地球環境学研究所所長。著書に『人生で大事なことはみんなゴリラから教わった』『スマホを捨てたい子どもたち』『人類の起源、宗教の誕生』(共著)など多数。

奪われた三つの自由

――山極所長は霊長類研究の第一人者であり、ゴリラを主たる研究対象としながら、人類の歩みを解明してこられました。新しい生活様式が求められるこのコロナ禍を、どう見つめていますか。

人間は社会をつくる上で、三つの自由を手にしてきたと思います。「動く自由」「集まる自由」「語る自由」です。これらを制限したのがコロナ禍でした。

ゴリラは、三つとも持っていません。歩き回る範囲は決まっているし、所属する集団は一つで、それもいったん出てしまえば、自分が元いた集団にすら戻れないですから。

でも人間は、集団をいくらでも渡り歩いていけるでしょう。特に現代は、世界中のどこへでも行ける。そうしてつながり合ってきた人間が、言葉を持っているわけです。

これらの三つをセットにして、人間が手にしてきたのは「出会い」と「気付き」です。動いて、いろんな人や、海や川、森、動物、鳥、虫たちと出会い、そして集まり、対話して、新しい気付きを得てきた。この気付きが、人間の未来をつくってきたんですね。

人間には、何十万年も変わらない暮らしをしてきた時代がありました。例えば最古の石器であるオルドワン石器は、何十万年も形が変わらなかった。つまり、生活は進歩せず、同じような暮らしを続けていたわけです。

それがある時から、古い文化の上に新しい文化を積み重ねて、人間は変化するようになった。それは、出会いと気付きを繰り返すことによる変化でした。

ところが、コロナ禍でそれが制約を受けた。特に、人間が手にした「食事」という文化が、対面でできなくなった事態はすごく深刻だと思います。

というのも、サルやゴリラ、あるいはチンパンジーは、食物を分配することはめったにありません。サルはそもそもやらないし、ゴリラやチンパンジーも、時々しかやらない。しかも、要求されないと食物を分けません。

でも人間は、わざわざ「さあ一緒に食べましょう」とやるわけです。現代の人々は不思議に思わないかもしれないけど、サルやゴリラからしたら、なんでそんな奇妙なことをするんだと思うかもしれない。

考えてみれば、食べ物は争いの源です。それを前にして、我々は争いをすることなく、平和な関係が前提になっている。食事の席を囲むというのは、そういうことです。

だから私は、食事というのは人間が最初に始めた文化だと思うんです。毎日食事をするという点はサルも同じで、生物学的なものですが、それを社会化して、皆で絆をつくる席にしたのが人間の最初の工夫なんですよ。

コロナ禍で、食事をするにもさまざまな制約を設けなくてはなりません。対面を通しての身体的つながりをつくりづらくなってしまいました。人間は、あらゆるコミュニケーションにおいて、五感で感じることで絆をつくってきた。特に音楽がそうです。身体の同調から共感と一体感を育んできた。それを抑制するということは、社会を壊してしまう危険すらあるんです。

動いて集まって対話するという、我々がつくってきた自由が奪われてしまったことの重みを、真剣に考えなければならないと思っています。

言葉は不完全なコミュニケーション

――コロナ禍では、SNSを通じてさまざまな発信がされています。自分と近い思想や意見の人が集まるSNSは、結果的に人々を特定の世界に閉じ込め、分断が生まれるのが特徴といえます。

言葉というのは不完全なコミュニケーションだといえます。いくら言葉を尽くしても、自分の気持ちを伝え切れず、いら立ったりする。それよりも、握手をしたり抱き合ったり、あるいは一緒に歌ったり、スポーツをしたり、奉仕活動をしたりする方が、気持ちが伝わることがありますよね。

言葉は、対面でこそ意味が伝わる部分がある。同じ言葉でも、どういう声や状況で発せられているか、相手が誰かで、伝わり方が違ってきます。

にもかかわらず、言葉がどんどん「シンボル化」して、ＳＮＳ上で文字が飛び交っても、相手は目の前にいないし、状況を共有できない。そういう状態で、ヘイトスピーチやフェイクニュースが押し寄せてきて、それに我々は脅かされている。こうした行き詰まりの背景には、言葉が不完全なコミュニケーションであることを、見失っている現実があると思います。

人間の知性の源泉は、脳の大きさだと多くの人は考えていると思います。しかし、２００万年前に脳が大きくなり始め、現代人の脳の大きさである１４００cc に達したのは、60～40万年前。それ以降、人間の脳は大きくなっていません。

特に１万年前に農耕牧畜を始めてからは、急速に文明を発達させたにもかかわらず、脳は大きくなっていない。なぜか。

脳が大きくなったのは、仲間の数を増やしたからという仮説があります。実際に人間以外の霊長類では、脳の大きさと集団規模がぴったり対応しています。

ゴリラは10～15頭の集団で暮らしていますが、人間の集団も、200万年前より以前は、それくらいの数であったとされています。

では、現代の1400ccという脳の大きさに最適な集団規模がどれくらいかというと、150人くらいです。60～40万年前から脳が大きくなっていないということは、この最適な集団規模も大きくなっていません。ここで言う集団規模とは、定期的に触れ合ったりしながら、信頼し合える仲間の数のことです。科学技術で利便性が高まり、SNSで何百人、何千人と連絡を取り合っていたとしても、信頼できる仲間の数には入らないということが、仮説から考えられます。

そして増えたように見える集団規模は、情報として自分の外に出されていて、インターネットのような、外部化されたデータベースの中にいる。

一方で私たちが、仲間の顔を浮かべようとすると、多くて150人くらいだったりする。この150人を、私は「社会関係資本」と捉えています。その数が、ずっと増えてこなかったということです。

そのきっかけは、人間が言葉を持ったことだと思っています。言葉は知性の源泉である一方で、記憶を外出しすることにもつながるわけです。忘れてしまっても、言葉があれば思い出せるからです。さらに今は、考えることさえ外部化して、データベースやＡＩで行おうとしている。

だから実は、１万年前と比べて、現在の脳は10パーセントくらい縮んでいるという話もあります。このまま考えることをしなければ、もっと小さくなるかもしれない。

「シンギュラリティー（技術的特異点）」といわれるように、ＡＩが人間の知性を乗っ取る時代が来るといわれています。そんなことはないと言う専門家もいますが、僕はあり得ると思っています。それは、人間には適応力があり、環境に合わせてしまうからです。ＡＩが人間の知性に追い付くことはなくても、人間が知性を低下させてＡＩ的になる可能性があるということです。

身体の中や頭の中にある人間の情緒が、使われないまま置き去りにされて、段々希薄になっている。すると人間は、情報に操(あやつ)られ、情報の塊(かたまり)になり、ＡＩに乗っ取られてしまう。自分よりＡＩのほうが、自分のことをよく知っているという事態になるかもしれない。

１５０人を確かな社会関係資本として、その上で生活をデザインし、言葉だけではなく、身体を通してつながるコミュニティーを、新たにつくり直す必要があると思います。

誤解や曖昧(あいまい)さもあって良い

――コロナ禍をはじめ現代社会は、いくらAIを使っても〝予測〟することのできない事態ばかりです。この未知の時代に、私たちはどう立ち向かっていけばよいでしょうか。

ゴリラの群れに入って暮らす中で、僕自身、何度も死にかけました。野生の世界は、何が起きるか分かりません。「行き当たりばったり」であることを予測して、どんな事態にも身構えていなければならない。

こうした経験から学んだのは、「命を失わない程度の失敗はしてもいい」ということです。常に正解を導き出す必要はないし、そもそもそんなことはできません。あいまいさを許す余裕を持つことが大切です。

今は言葉に頼り過ぎてしまったせいで、皆が正解を求める。でも自然界に、100パーセントの正解はありません。

それでも、命を失うほどの失敗をしなければいいというレベルで、人間以外の動植物は存在している。それでうまく調和がとれている。ここから二つのことが言えます。

一つは、完璧な理解を相手に求める必要はないということ。人間同士、相手の心の中まで見通せるわけがない以上、むしろ分からないものとして付き合うべきということです。

例えば人間とネコや、人間とイヌだって、全然生理が違う動物なのに、うまく付き合えている。そこには誤解もあるわけですね。誤解も含んで共存できるという前提で、付き合っているとも言える。

そしてもう一つは、あいまいなものはあいまいなままにして付き合えばいいということ。つまり論理ではなく、直観で付き合うということです。我々は、論理に重きを置き過ぎていて、この人はこういう人間で、このように考えて、こういうことをするだろうと予測しようとする。あるいはＡＩに情報を与えて分析して、１００パーセントの期待値を出そうとする。

同じ人間なんていないはずなのに、今のＩＣＴ（情報通信技術）は、人間を工業製品化して、同一労働、同一賃金みたいに考える。でも自然界では同じ能力をもった動物なんていないんだから、同一のことができるわけがない。

さまざまな差異を認めた上で個性がぶつかり合うから、面白いこと、新しいことが生まれるのであって、だから付き合う価値もある。会社でも大学でも、違う人間同士が刺激し合い、それぞれの能力や個性を磨き上げることで、新しい未来が開けると考えた方がいいのではないでしょうか。

文明の大転換期に立つ人類

――性急に答えを出そうとせず、日々の現実に忍耐強く向き合い、あいまいさを許す生き方の中にこそ、共生の道が開かれていくのではないでしょうか。

そう思います。西洋に端を発する科学思想は、二元論ですね。この二元論のもと、人間は環境を客体化し、切り離して、都合の良いようにつくり変えてきた。そうして起こったのが現在の環境危機です。

あるいは病気に対しても、西洋では、病気の原因を突き止めて、病原菌を絶つための薬をつくるのが一般的です。ところが東洋では、原因は分からなくても、人間の免疫力を高めて、その病気と共存できるようになればそれでいいと捉えます。漢方が良い例ですね。つまり、あいまいなままでいい、共存すればいいという考えですね。

そもそも、人類がこれまで使ってきた薬は、ウイルスと共存するためのものが多かったのではないかと思います。人間の遺伝子の8パーセントはウイルス由来です。人類の進化を助けてきたウイルスを、悪者にする必要はない。

植物の葉や根を使ってつくる薬がありますね。虫などが食べられない部分を、薬にしたのが人間です。自然界の作用をうまく取り込んで、身体を適応させるようにしてきたのが人間の歴史といえる。

そうした中では、病原菌を絶滅させようという発想は長い間、なかったはずです。人間は単独で生きているのではなく、バクテリアやウイルスとの共生体であると思い直す方が自然だといえます。

そもそも感染症が広範囲に広がったのは、人間が家畜を飼って、まん延する舞台ができたからです。そういった歴史をもう一度整理して、人間が地球で共生できる条件や環境を再構築しながら、新たな暮らしを組み立てる必要がある。それが、まさに今です。

言葉に頼ったコミュニケーションや、常に正解を求めようとする、これまでの〝当たり前〟を見直し、異なる人々や地球環境と共生していく道を、身体性を通したつながりの中で育んでいかなくてはなりません。その意味で、私たちは文明の大転換期に立っていると、僕は思っています。

日本の良質な精神の価値を自覚し世界の文明を転換するきっかけに

――近代的な二元論の立場でウイルスを〝敵〟と見るのではなく、人類がウイルスと共生してきた歴史を見つめ直すために、大切な心構えは何でしょうか。

最近、西田幾多郎（１８７０～１９４５）の哲学を読み深めています。日本のオリジナルな哲学を打ち立てた最初の一人が西田だと思いますが、僕は、日本の文化に流れる「あいだの思想」を、もう一度、復活させる必要があると思っています。

これを理解する上で根本となるのが、西洋近代の思想は二元論だということです。コンピューターは０と１だけで計算する「二進法」でできていますが、今のデジタル社会も、「０か１か」の発想でつくられています。デジタルは安定しているんです。

面白いことに、生物の遺伝子、つまりＤＮＡも、四つの塩基の組み合わせでシナリオができるという意味では、デジタルです。ところが、生物そのものは予測不能なアナログの生き物でしょう。つまり、デジタルとアナログが組み合わさっているのが、生物の世界といえます。

アナログは、時間的に連続しているから、もし間違えたら、全然違う方向へ行ってしまう不安定さが伴います。だけどそれは時間の産物であり、直すこともできるわけです。しかしデジタルは、安定している一方で、いったん変更したり、壊れたりしたら、元通りにはできない。

「あいだの思想」とは、ものごとをはっきりと区別し、分けようとする二元論に対して、分断することのできない事物の「あいだ」を認める論理のことです。

西田哲学とは違う道を模索した山内得立は、インドの竜樹（※注）が説いた「テトラレンマ」という論理を独自に体系化しました。レンマというのは「直観的な把握」を指す言葉で、西洋の「理性による分別」の対極に位置付けられます。

相反する二つの選択肢の板挟みにある状態を「ジレンマ」と呼びますが、これは「ジ（二つの）」レンマという意味です。「ジ」だけだと、Ａか非Ａであるかの二元論。その間で板挟みになっているのが「ジレンマ」です。

テトラレンマは「四つの」レンマのことで、①ＡはＡである②Ａは非Ａではない③Ａでもなく非Aでもない④Aでもあるし非Aでもある、の四つです。①か②しか認めない西洋の「排中律」の論理に対して、テトラレンマは、Aと非Aの「あいだ」を認める「容中律」の概念であり、③と④が可能になるのです。

もともと竜樹が伝えたテトラレンマは、③の両否定が最後だったのに対して、山内は、④の両肯定を最後にもってきました。両肯定が、これからの世の中を救う思想だと言ったのです。

日本に流れる「あいだ」の思想

――二者の差異を明確化して分断するのではなく、二者の「あいだ」に立ち、ありのまま包み込むのが、「レンマ」の立場であると捉えてよろしいでしょうか。

その通りです。日本には、この「あいだの思想」のいろいろな例があります。

例えば「三途の川」では、「彼岸」に先祖や神様がいて、お彼岸とかお盆には「此岸」に帰ってくる。彼岸と此岸は地続きです。間に架かっている橋は、彼岸と此岸のどちらにも属していないともいえるし、どちらにも属しているともいえる。

あるいは、日本家屋にあった縁側は、家の外でもあり、内でもあります。そこに客を招いて、碁や将棋をしたり、お茶を飲んだりするのが日本の習わしです。「あいだ」を許す構造が、日本の中にはいっぱいあるんですね。

西田は、こうした思想を指して「述語の論理」と言いました。英語には必ず主語がありますが、日本語にはしばしば主語がありません。分かりやすい例は、「国境の長いトンネルを抜けると雪国であった」という、川端康成の『雪国』の一節です。この主語は誰でしょうか。トンネルを抜けたのは汽車のようでもありますが、雪国だと気付くのは乗客ですね。汽車と乗客、どちらが主語でもいい。日本人はこのまま文章を読めるんですね。

こうした日本人の情緒を、西田は「形なきものの形を見、声なきものの声を聞く」という言葉で表現しました。僕も好きな言葉です。

西洋にはないこの地続きの世界を、僕はパラレルワールド（並行世界）と呼んでいます。そうした世界観を含んだ日本の漫画やアニメが、今は欧米社会にものすごく浸透しています。日本の「述語の文化」やあいだを許すような情緒が、段々と受け入れられ始めているということだと思います。

人間は「物語を作る力」に長けている

――人間が人間以外の霊長類と違う点について、山極所長は、「物語を作る能力」に長けていることを挙げられています。コロナ禍や気候変動といった地球的な危機を乗り越える上で、物語はどのような役割を果たすと考えていますか。

人間は、世界のいろいろなものに名前をつけて、因果関係にしたり、起承転結にしたりする能力に長けているんですね。物語にすることで、過去の出来事や、現実にまだ起こっていないことさえも共有できるわけです。人類を大きく発展させた物語を作る能力を、もう一度作り直さなければいけないと思っています。

今はSNSで、誰もが物語を発信できる時代です。フェイクであるか、真実であるかを確かめることは容易ではない。国家は「想像の共同体」だと、ベネディクト・アンダーソン（アメリカの政治学者）は言いました。かつては、新聞、テレビ、ラジオといったメディアが信頼性の高い公共財として情報を発信し、人々はその受け取った情報から、世界を解釈して物語を作ってきた。

ところが今、メディアに限らず誰もが、あらゆる物語を作って発信できてしまう。平気でうそもつけます。それが人々を不安にしているからこそ、ある意味で、我々が共有できる物語がなくなっているともいえる。

世界が共有できる物語を作るためには、文化の多様性を認め合って、文化をつなぐことが大事だと思います。それぞれの自然環境に息づいてきた文化や在来知、伝統知を尊重しつつ、文化同士は対立せずにつながり合うことが大切です。

2001年のユネスコ総会で、「文化的多様性に関する世界宣言」が採択されました。その第7条では、創造とは「他の複数の文化との接触により、開花するものである」とうたわれています。文化間の交流によって、イノベーションが生まれると書かれているんですね。文化の多様性の中で、人々が共有できる物語を作っていくべきです。

この物語を作る能力は、「問いを立てる能力」であるともいえる。問いの立て方がまずいと、答えは見つかりません。だから僕がいつも言っているのは、良い問いを立てよということです。

仲間と一緒に意見を交わしながら、面白い問い、答えが見つかる問いに行き着くというのが学問の面白さであって、それは会社でも、人生においても同じでしょう。

問いがあって答えがあるということは、その間には物語がある。それを共有できるのが、我々が手にした本来の言葉の力なんです。

人々を結ぶ宗教の役割

――宗教の起源は「共存のための倫理」であったと山極所長は言われています。宗教が人類史において果たしてきた役割と、これからの可能性について、どのように考えていますか。

他者の心は読めないし、読めないからこそ付き合う必要があるのですが、そこには一定の倫理がなければいけません。第三者や、あるいは人間とは違う何者かが自分を見ているという感覚が必要なんですね。善悪を誰かが見守ってくれていると思えるから、行動を律することができる。

過剰な欲をどこかで抑制しないと、人間は暴走します。科学技術は、暴走を止めるどころか拡大しようとしているわけですね。その暴走を防ぐのが宗教の役割ではないでしょうか。「150人」という数の信頼できる仲間も、宗教や倫理によって暴走を防ぐから、信頼できる位置にとどまっているのだともいえます。

その上で、重要なのは、宗教は物語を作れるということです。物語を作り、共有することで、宗教は、１５０人という数を超えていけるんですね。実際に、キリスト教は一つの教区に１５０人以上を集めて、物語を共有し、皆の心を一つにしたわけです。イスラムも、仏教も、さまざまな宗教がそれをやってきた。

超越的な存在や法などの規範のもとに自分たちはいる、という物語を共有することで、宗教は、国よりも大きな「想像の共同体」をつくってきたんです。

物語を作り、共有することで人々を結ぶ宗教の役割は、いまだに変わっていないと僕は思います。ただし宗教は、内にとどまり、境界の外に広がっていきにくいという限界がある。だからこそ僕は、「あいだの思想」が重要だと思っているんです。

19世紀の終わり頃、日本の扇子（せんす）やうちわがきっかけとなって、浮世絵の魅力がヨーロッパに伝わりました。日本人にとっては生活必需品だったものが、ヨーロッパの人々には、寝室の装飾品にもなったのです。

そこに描かれていた浮世絵は、西洋の絵画の常識に反していた。左右対称でなくてもいい。背景を描かなくてもいい。赤などの原色を使ってもいい。その新しい手法に、西洋の絵描きたちが目覚め、ゴッホやゴーギャン、マネやモネが誕生し、その画家たちに触発されて、ニーチェなどの思想家が目覚めたといわれます。日本の生活用品が触媒（しょくばい）になって、西洋の思想を変えたわけですね。

今度は、二元論にとらわれない、Aでもあるし非Aでもあるといった「あいだの思想」が、再び世界を変えるかもしれない。僕はそれを「第2のジャポニスム」と考えています。

私たち日本人がささいなことだと思っている、生き方や考え方が触媒になって、文明を転換するきっかけになるといえます。

それは、これまでの宗教や文芸や文化が、ずっとやってきたものの延長でもあります。そうした精神や伝統が持つ価値を、改めて自覚し、後押ししていくべきだと僕は思っています。

※注　竜樹

150~250年頃。インドの仏教思想家。大乗仏教の「空」の思想に基づいて実在論を批判し、以後の仏教思想・インド思想に大きな影響を与えた。

第2章

持続可能な未来を開く

持続可能な未来を築く
21世紀の地球倫理を

コロナ禍を克服し、地球温暖化対策をはじめ、持続可能な未来への取り組みを成功させる鍵は何か。国連のSDGs策定に携わった一人であり、世界的な経済学者のサックス教授に聞いた。

ジェフリー・サックス

米コロンビア大学教授

Jeffrey D. Sachs
1954年、米国生まれ。ハーバード大学大学院で博士号（経済学）を取得し、28歳で教授に就任。20年間、同大学に所属し、国際開発センター所長を務めた後、コロンビア大学に移籍し、2002年から16年まで同大学地球研究所所長。歴代の国連事務総長、途上国政府、世界銀行ほか各国際機関のアドバイザーを歴任し、貧困の根絶、気候変動対策、SDGsの策定・推進など、地球規模の問題解決のため尽力してきた。現在、SDGs達成を目指す研究機関の世界的ネットワークである国連「持続可能な開発ソリューション・ネットワーク」の会長を務める。

歴史の転換点ともいうべき瞬間

――サックス教授は、（2021年）8月の米紙への寄稿の中で、現在開催中のCOP（国連気候変動枠組み条約締約国会議）26をはじめ、今秋、重要な国際会議が続くことに触れ、〝今年の年末までの各国政府による決断が、私たちの時代で最も重要なものになる〟と主張されました。

私たちは今、歴史の転換点ともいうべき決定的な瞬間を生きています。

パリ協定（産業革命以降の平均気温上昇を2度、理想的には1・5度未満に抑えることを目指す国際枠組み）をはじめ、生物多様性の保護、SDGsなど、国際社会は極めて重要な目標を掲げています。しかし、各国の協力はまだまだ不十分で、具体的な行動を起こせていません。米中対立の深刻化も影を落としています。

国際協力を促進する努力の欠如によって、私たちは非常に危険な世界に足を踏み入れようとしています。主要な生態系が崩壊し、21世紀から22世紀の間に海面が数メートルも上昇し、飢餓と貧困が拡大する絶望的な世界です。

一方、国際社会が協調して行動すれば、これらの課題を全て解決することができます。各国が年間生産のわずか2～3％を国際協力に拠出できれば、将来、甚大な被害をもたらす大災害を低いコストで未然に防ぐことができるのです。それによって、もっと安全で、もっと健康で、もっと持続可能で、もっと公正な地球社会を、私たちは築くことができます。

――国際通貨基金（IMF）は、新型コロナウイルスのパンデミック（世界的大流行）による経済的打撃は、先進国よりも途上国の方が大きく、中長期的にも多大な損失を及ぼすと分析しています。昨年（2020年）からのコロナ危機に対する各国政府の対応を、どうご覧になっていますか。

これまでの対応には、主に二つの欠陥があります。

一つ目は、公衆衛生対策が概して不十分であり、最善の措置を取るための国際協力があまりにも弱かった点です。

一般的に、東アジア諸国の対応は、欧米より優れていました。他者への配慮を基盤とした文化や慣習が、その要因でしょう。マスクの着用、身体的距離の確保、濃厚接触者の追跡と隔離などの対策が、東アジアでは欧米よりも広く受け入れられました。

欧米では多くの人々が、マスクを着用しない、もしくはワクチンを接種しない〝自由〟が自分たちにはあると信じています。これは歪んだ形の〝自由〟です。

二つ目の欠陥は、貧困国への支援があまりにも手薄であるという点です。

貧困国は、富裕国と同じような好条件で資金調達ができません。その結果、経済的困窮と飢餓は、貧困国の方がより深刻になりました。貧困国は十分なワクチンの確保もできていません。生産されたワクチンのほとんどが、裕福な国々によって独占されているからです。

コロナ前から遅れていたＳＤＧｓ

――コロナ危機は、ＳＤＧｓ達成のための取り組みを大幅に遅らせているとも危惧されています。

ＳＤＧｓはパンデミックの前から、すでに達成までの道筋から外れていました。なぜなら、富裕国が貧困国の支援に注力してこなかったからです。最近は少し変化してきましたが、特にここ数年の米国がそうです。Ｇ20（主要20カ国・地域）は至急、貧困国への経済支援を増大させる必要があります。

貧困国では今日においても、大勢の子どもたちが学校に通えていません。多くの人が十分な医療を受けられず、電力やデジタル機器にアクセスできずにいます。こうした問題を解決できる経済力がないからです。

その他の重要なＳＤＧｓの目標を達成するための手段もありません。また貧困国は、気候変動による影響を最も強く受けています。その主な原因は、富裕国が大量に排出してきた温室効果ガスなのです。

――教授は新著『グローバル化の諸時代（仮訳）』で、人類史を七つのグローバル化の時代に区分され、2001年からは「デジタル時代」に突入していると分析しています。

人類は「デジタル時代」に入り、かつてない規模でデータを蓄積・伝達・処理できる能力を得ました。コンピューターや家電製品、ロボットなどの機械によって、私たちの生活は便利になりました。人工知能（ＡＩ）の分野など、「デジタル時代」の技術は驚くべきスピードで発達しています。余暇の増加、教育・健康・公共サービスの向上など、新しい繁栄をもたらすという意味では、とてもいいニュースといえます。

一方、「デジタル時代」には大きなリスクも潜んでいます。非熟練労働者の大量失業につながる可能性もありますし、デジタル技術を〝持つ人〟と〝持たない人〟の社会的・経済的な格差が大きくなることも懸念されます。

サイバー攻撃をはじめとする新しい形での戦争、プライバシーの侵害、依存症やメンタルヘルスの問題など、さまざまなリスクが考えられます。これらの一部は、既に深刻な問題として現れ始めています。

――リスクを減らすために何が必要でしょうか。

「デジタル時代」の恩恵に、正しく、最大限にあずかるためには、各国政府が慎重に対策を考え、国際協力を推進していく必要があります。デジタル技術の軍事転用を防ぐために、新しい軍縮と国際安全保障の条約を結んでいかなくてはなりません。

全ての市民がデジタル技術にアクセスできるようにし、ロボットや人工知能に仕事が奪われる可能性がある人々への社会保障や職業訓練など、効果的な戦略と寛容な社会政策が求められます。いずれも難しい課題であり、解決策はまだ見つかっていません。

――教授は同書の冒頭、デジタル時代のグローバル化が進む現代において、「世界平和は実現可能なのか。もし可能なら、どのような人間の共通理解・倫理をもとに実現できるのか」という問いを立てています。そして最後に、教授がリードした宗教間対話のプロジェクトで、「黄金のルール」にたどり着いたことを紹介しています。

「黄金のルール」とは、世界各地の宗教、文化的先人の知恵が共有する三つの考え方を指します。

一つ目は、自分がしてもらいたいように人に対してすべきだということ。儒教（じゅきょう）、キリスト教、ユダヤ教の聖人たちが、この考え方を擁護（ようご）しています。

二つ目は、世界は富裕層だけのものではなく、全ての人のものであるという考えです。貧しい人々も、健全な人生を送ることのできる物質的な基盤、そして全ての人に具（そな）わる尊厳を認められるべきです。

三つ目は、人間は地球の管理者であって、生物の支配者ではないという考えです。私たちは生物圏の一員であり、モラルや美学、経済的な理由からではなく、自らの生存のために地球を守らなければなりません。生態学や地球システムについて教育を受けていない人が多いため、この教訓はよく理解されていません。

これら三つの「黄金のルール」は、人間の行動の規範、国際協力の倫理的支柱として認識されるべきです。国連の〝モラルの憲章〟とも呼ばれる、１９４８年の世界人権宣言は、この「黄金のルール」と「貧者の優先」を力強く表現しています。

さらに現代においては、今を生きる全ての人々と将来の世代が、安全で持続可能な環境を享受する権利を加えた、〝21世紀版の世界人権宣言〟が求められています。各国政府、企業、市民社会は、これらの普遍的権利を擁護するために課された、それぞれの義務を認識しなければなりません。

ＳＧＩは平和と国際協力を推進

――池田大作ＳＧＩ（創価学会インタナショナル）会長は、１９９３年のハーバード大学での講演で、大乗仏教が21世紀文明に貢献しうる役割を「平和創出の源泉」「人間復権の機軸」「万物共生の大地」と提唱しました。ＳＧＩは、大乗仏教の精髄である法華経の万人平等と生命尊厳の哲理を掲げるＦＢＯ（信仰を

基盤とした団体）として、世界各地で平和と持続可能な発展のための活動に取り組んでいます。

世界平和、国際協力、相互理解を促進するＳＧＩの働きは、巨大な道義的な力を持っています。私たちには、21世紀の地球倫理が必要です。普遍的な人間の尊厳、持続可能な発展、富裕層が果たすべき責任、貧困層と弱い立場に置かれた人々への支援を、その基盤にしなければなりません。

私たちの相互依存性と人類共通の運命こそ、新しい地球倫理構築のための最も重要な土台です。全世界の主要な宗教が、この人類共通の理解に貢献し得るし、またしなければなりません。全ての宗教が、私たちの利益と地球を守るために、共通点を見つけられるはずです。

核戦争によって人類が滅亡する寸前にまで陥った62年の「キューバ危機」の翌年、米国のジョン・F・ケネディ大統領は平和創出のための傑出した努力を重ねました。「キューバ危機」の結果として、ケネディ大統領は、地球に生きる生命の脆弱性、そして人類共通の価値観と展望の必要性を深く認識しました。

有名な63年6月の演説「平和の戦略」で、ケネディ大統領が語った次の言葉は、現在の私たちにとっても、本質を突いたものであると強く確信します。

「だからこそ、意見の違いから目をそらさず、共通の利益に目を向け、違いを解決できる手段を探しましょう。たとえいますぐ解決できなくても、少なくとも多様性を受け入れる世界にできるよう、努力しようではありませんか。

つきつめれば、私たちを結びつけている、何よりも基本的な共通のつながりは、誰もがこの小さな惑星に暮らしているということなのです。誰もが同じ空気を吸って生きています。誰もが子どもたちの将来を気にかけています。そして誰もが死すべき運命にあるのです」（ジェフリー・サックス著、櫻井祐子訳『世界を動かす　ケネディが求めた平和への道』早川書房）

2022年3月24日付掲載

SDGsは「未来のかたち」コロナ後の社会の道しるべ

国連のSDGs策定に向けた国際的な研究・政策提言をリードし、採択後も、啓発・推進活動の中心的役割を担ってきた蟹江教授。危機の時代におけるSDGsの意義について聞いた。

蟹江憲史

慶應義塾大学大学院教授

かにえ・のりちか
1969年、東京都生まれ。専門は国際関係論、サステナビリティ学。慶應義塾大学を卒業後、同大学大学院政策・メディア研究科博士課程単位取得退学。博士（政策・メディア）。東京工業大学大学院准教授、パリ政治学院客員教授等を経て、現職。慶應義塾大学SFC研究所xSDG・ラボ代表を務める。国連持続可能な開発会議（リオ＋20）日本政府代表団顧問、日本政府SDGs推進本部円卓会議委員など、SDGs関連を中心に政府委員を多数歴任してきた。

日本の達成度は？

――教授は著書『ＳＤＧｓ』の中で、新型コロナウイルスのパンデミック（世界的大流行）からの「再出発」に必要なのは、「ＳＤＧｓの道しるべである」と述べています。

パンデミックによって、仕事が続けられない、学校が休校になる、流通が滞る（とどこお）など、社会のあらゆる側面が抑制され、ストップがかかりました。「持続可能」とは、簡単に言えば、「止まらないで続けられる」ということです。パンデミックでさまざまなことがストップしてしまったこと自体、現代社会が持続可能ではなかった一つの証左といえます。

いわばＳＤＧｓとは、〝止まらないで続けられるのはどういう状態か〟という逆算から掲げられた目標の集まりです（17の目標と１６９のターゲット）。

止めてしまうリスクがあるから、それを回避するための目標を設定する。例えば、気候変動や生物多様性の破壊など、そのまま放置しておくと、地球環境や国際社会が「続いていく」のが困難になる問題が山積しています。そうした問題に対処する際になすべきこと、達成すべき指標が書かれている、つまり「道しるべ」が記されているのがＳＤＧｓだといえます。

パンデミックは、弱い立場に置かれた人がより大きな影響を受けるという、現代社会の脆弱性を改めて浮き彫りにしました。コロナ禍の先の世界に必要なのは、大きなダメージを受けた人を優先しながら経済の再生を図り、環境との共生も実現していく、持続可能な成長戦略です。ＳＤＧｓは、そのためにやるべきことの〝チェックリスト〟であるともいえます。

――ＳＤＧｓの中で、日本が特に取り組むべき目標は何でしょうか。

ドイツのベルテルスマン財団と、世界的な研究機関のネットワークである「持続可能な開発ソリューションネットワーク（ＳＤＳＮ）」が発表している『持続可能な開発報告書』の中に、各国のＳＤＧｓの進捗（しんちょく）状況を測る「ＳＤＧインデックスとダッシュボード」があります（ＳＤＳＮ会長はコロンビア大学のジェフリー・サックス教授で、蟹江教授が幹事としてＳＤＳＮジャパンを設立）。

日本の達成度は79・85点で全体として18位（１６５カ国中）。特に課題が残るのが、目標５「ジェンダー平等を実現しよう」や目標13「気候変動に具体的な対策を」などです。つまり日本が遅れているのは、社会と環境の持続可能性です。ジェンダー平等や格差の問題に取り組むことによって、他の課題解決にもつなげていけば、日本の評価は格段に上がるのではないでしょうか。

基本理念の背景

――教授は、ジェンダー平等を実現することが、教育の平等や人間らしい仕事の実現など、他の目標の実現につながると指摘しています。

ジェンダー平等については、日本は非常に遅れていて、世界の中でも下位のレベルですよね。例えば、地域の審議会などでも男性が多い。会長が男性だったら、少なくとも副会長は女性にすべきだと言うと、初めて「確かにそうですね」となる。これが日本の現状だと感じます。

ジェンダー平等は、他の問題解決にもつながる軸となる課題です。例えば、夫婦が平等に仕事と育児ができるように、テレワーク（在宅勤務）を導入すれば、目標8「働きがいも　経済成長も」の達成につながる。こうした積み重ねが、社会のあり方を変えていきます。ジェンダー平等が他の課題を横断的に解決していくように、一つの目標に取り組むことが他にも波及していく点が、ＳＤＧｓの特長であると考えます。

――ＳＤＧｓを掲げた国連決議「持続可能な開発のための２０３０アジェンダ」の前文には、「我々はこの共同の旅路に乗り出すにあたり、誰一人取り残さないことを誓う」とあります。ＳＤＧｓはなぜ、「誰も置き去りにしない」ことに力点を置いているのでしょうか。

取り残される人がいてしまっては、その人にとって、今の世界は続かない方がいいことになります。自分が置き去りにされる世界が続いた方がいいと思う人はいないでしょうから、取り残される人がいる限り、決して持続可能とはいえない。ゆえに、持続可能な世界を実現するためには、誰も置き去りにされないことが重要な条件になる。

シンプルかもしれませんが、そうした理念がＳＤＧｓの根底にあるように思います。

ＳＤＧｓにはそもそも、非常にシンプルなことしか書かれていません。誰もが「これは大事だ」と納得できる、小学生が学校で習うようなことばかりです。単純なだけに、それを実現できていない現実が、現代社会のいびつさを物語っています。

実現できない理由の一つが、ここまで拡大した格差の問題です。一握りの大富豪が、全人類の大部分の富を所有している現状はどう考えてもおかしい。それと向き合って解決しなければならないという注意喚起が、「誰も置き去りにしない」というＳＤＧｓの基本理念に込められているのでしょう。

ＳＤＧｓとは要するに、経済・社会・環境を調和させた、「資源の再分配」への挑戦です。自由な資本主義が主流の現代社会にあって、１９３カ国もの国連の全加盟国がよく合意できたなと、今でも驚いています。目指すべき「未来の世界のかたち」を示したＳＤＧｓは、それだけで価値あるものですし、今の世界のあり方では、地球環境も国際社会も「止まらないで続けていく」のが困難になっている危機的状況の裏返しともいえます。

――教授は、ＳＤＧｓ達成のために、「型にはめるのではなく、『自分なり』の個性を生かした行動をとること」が重要だと提唱しています。普段の生活で実践していくためのアドバイスがあれば教えてください。

他人に言われて行動するのではなく、「こういう方法があるんだ」と自分で発見していくことが大切ではないでしょうか。「他人ごと」から「自分ごと」にするためには、自分に関わること、自分が興味のあることから始めるのをお勧めします。

私の場合は、家を建てる際に、環境に優しい「SDGハウス」にしようと決めたことで、17の目標がより具体的に、もっと身近に感じられるようになりました。持続可能な素材をあえて使うなど、コストをかければ環境を守ることはさまざまできますが、経済的なバランスを考えないといけない。自分の財布に関わることですから、SDGsが一気に「自分ごと」になりました。

自身の住居にSDGsを取り入れるのは、当初は考えてもいませんでした。ですが友人からヒントを得て、何もせず出来上がった住まいに入居するという「当たり前」のことを、ちょっと立ち止まって考えることができました。「当たり前」を疑ってみる、というのが重要なポイントだと考えます。

例えば、外出中に喉が渇いたら、ペットボトルに入った飲み物を買うのが普通ですが、一度立ち止まって、「あれ、これ捨てたら、どうなるのかな?」と、「当たり前」を疑ってみる。すると、やはりマイボトルを持ち歩く方が環境に優しいし、経済的でもあることに気付きます。そして、「ペットボトルは使わないようにしよう」と「自分ごと」にすることが、最初のステップです。

今の若い人たちは、ＳＮＳを使って、自身の取り組みを広く発信することに長けていますから、自分の行動からさらに共感の輪を広げていくこともできます。この点では、学生たちに、逆に教えられることばかりです。

信仰との親和性

――現在の10代から20代の若者は、他の世代に比べて、ＳＤＧｓに対する意識が高いといわれます。経団連が「企業行動憲章」を改定してＳＤＧｓ達成への行動を呼び掛けるなど、社会全体の雰囲気が変わってきていることにも起因すると考えられますが、若者たちの意識の高さの理由はどこにあるとお考えですか。

学生たちと関わる中で実感するのは、彼ら、彼女らが育ってきた時代と環境が影響しているのではないかということです。

例えば21歳の人は、生まれた直後に９・11米同時多発テロ事件があって、世界が「テロとの戦い」の時代に入り、その後に、リーマンショックによる金融危機で、経済が低迷する。そのわずか3年後には、東日本大震災で大勢の尊い命が犠牲になり、原子力発電所の事故が起こりました。やはりこの頃から、〝社会のためになることが、自分にとっても大事〟という考え方が広がってきたように感じます。

そして、ここにきてコロナ禍です。今はウクライナでの戦火も目の当たりにしています。こうした目まぐるしい社会の変化の中で育った若者たちにとって、もはや〝平常時〟は存在しないといえます。〝平常時〟がないからこそ、「社会のために」という感覚がないと、「自分がやりたいこと」もできない。こうした若者の意識が、SDGsへの関心の高まりにつながっているのではないでしょうか。

――池田SGI会長は、SGIが国連経済社会理事会の協議資格を持つNGO（非政府組織）となった1983年から毎年、平和提言を発表し、今年（2022年）で40回目を数えるに至りました。今年の提言では、SDGsの〝誰も置き去りにしない〟との理念に、「皆で〝生きる喜び〟を分かち合える社会」の建設というビジョンを重ね合わせ、肉付けする重要性を訴えました。SDGs達成に向け、FBO（信仰を基盤とする団体）の役割をどうお考えですか。

日本ではあまり語られていませんが、世界では「持続可能性」と「信仰」には親和性があると捉えられています。持続可能な社会を目指して行動を起こしていくには、それを「自分ごと」にしていくことが肝要であり、その一番の原動力になるのが信仰だと考えられているからです。「誰一人取り残さない」という理念を肉付けするためにも、今後、信仰が果たす役割がもっと注目されてもいいのではないかと考えます。

価値観の変革が、今ほど求められている時はありません。ＳＤＧｓが策定される際に、さまざまな議論がなされる中で、今までは大量生産・大量消費がよしとされた「量の時代」だったけれども、これからは「質の時代」にしていかなければならないと、よくいわれていました。何が本当に価値あることなのかを熟考し、「質」を重視する思考と行動への転換が必要とされています。ＦＢＯに寄せられている期待は、大きいのではないでしょうか。

人が「何を食べるか」は地球環境の未来に直結

コロナ禍により、世界の貧困問題が深刻化している。国際社会が直面する食料安全保障の課題とは。

ジェシカ・ファンゾ

米ジョンズ・ホプキンス大学公衆衛生大学院教授

Jessica Fanzo
専門はグローバル食料政策・倫理。全米屈指のジョンズ・ホプキンス大学公衆衛生大学院で特別教授を務める傍ら、同大学・高等国際問題研究大学院の教授も兼務する。アリゾナ大学で栄養学の博士号を取得。コロンビア大学地球研究所などを経て、現職。２０１７年から19年まで、世界全体の栄養問題を独立評価する最も優れた年間報告書「世界栄養報告」の共同議長、国連の食料安全保障・栄養ハイレベル専門家パネルのプロジェクトリーダーを務めた。

極度の貧困が20%増

――コロナ危機による世界の貧困人口の急増が危惧されています。

国際食糧政策研究所の報告書によると、１日１・９ドル未満で生活する貧困層はコロナ前より20パーセント増加。およそ1億4000万人以上が、新たに極度の貧困に陥る可能性があると推定されました。他の研究では、コロナ禍の影響で、来年（2022年）までに消耗症（重度の栄養失調）の子どもが930万人も増えると予測されています。

世界全体の食料供給量が減ったわけではありません。ロックダウン（都市封鎖）など感染抑止のための厳しい措置による経済的損失で、食料を買えない世帯が増えているのです。とりわけ子どもは食料不足の影響を受けやすく、栄養失調で死に至る危険性が高い。途上国でコロナ禍のダメージが最も深刻なのは、貧困世帯、特に子どもを育てる家庭です。

――今月（2021年6月）開催された先進7カ国（G7）首脳会議では、10億回分のワクチン支援が表明

されました。途上国へのワクチン支援が進めば、状況は改善されるのでしょうか。

残念ながら、富裕国がワクチンを買い占め、自国での接種を優先したため、途上国は後回しにされてきました。特にサハラ砂漠以南のアフリカの状況は悲劇的です。これまでマラリアやエイズなど他の感染症に苦しみ、紛争や気候変動によって悪化していた貧困が、コロナ禍によってさらに加速しているからです。おそらく、こうした国々でワクチン接種が進むには、数年かかるでしょう。

ワクチンによってコロナを抑え込み、社会が正常化しても、経済が回復するには時間がかかります。国連食糧農業機関（ＦＡＯ）は毎年、世界の貧困について報告書を発表していますが、ここ数年の間は貧困層がさらに増加していくでしょう。新型コロナウイルス感染症（ＣＯＶＩＤ―19）、気候変動（Climate change）、紛争（Conflict）の三つの「Ｃ」の嵐によって、途上国の食料不安が悪化の一途をたどるのは間違いありません。

唯一の改善策は、各国政府の力強い行動で、将来の感染症を阻止（そし）し、気候変動を緩和し、紛争を解決していくことです。そのためには強力な多国間協力が必須ですが、どれも極めて難しい。悲観的ですが、これが現状です。とりわけ気候変動については、私たちに残された時間はあまりにも限られています。

コロナ禍で露呈した食料安全保障の欠陥

――ＦＡＯは食料安全保障を〝活動的・健康的な生活に必要な食事と食品の好みを満たす、十分かつ安全で栄養価の高い食料に、全ての人々が物理的・社会的・経済的に常時アクセスできる状況〟と定義しています。コロナ危機の前から、世界の食料安全保障は悪化していたのでしょうか。

１９９０年から２０１５年の25年間で、極度の貧困層は20億人から7億人にまで減少しましたが、それからの４年間で、飢餓に苦しむ人々が８０００万人から1億３５００万人へと70パーセントも増加しました。主な理由は、紛争と気候変動です。そこに現在、コロナ危機が追い打ちをかけています。

貧困の根絶は食料安全保障の柱の一つですが、問題はそれだけではありません。「健康的な生活のために必要な食事」という意味では、さまざまな形の栄養不良や肥満の問題も、食料安全保障において取り組むべき重要な課題です。

近年、肥満はほぼ全ての国で増加しており、カロリーは摂取できても健康的な食事を取れない人々が、全世界で30億人に上るといわれています。栄養価のある生鮮食品は値段が高く、保存のきく加工食品や穀物は安価です。そのため、所得水準など生活環境の差によって栄養格差が生まれています。つまり、全人類の約半数に迫る人々が、経済格差が主な理由で、果物、野菜、魚など栄養価の高い食事を十分に取れず、健康リスクを負っているのです。

新型コロナウイルスは、こうした栄養不良の健康リスクも浮き彫りにしました。バランスよく栄養を取っていない肥満体質のコロナ患者が、より高い重症化リスクを抱えることは多くの研究で示されています。

——具体的な例は？

米国では、パンデミックによる黒人、中南米系の死亡率が白人より高く、医療へのアクセスなど、さまざまな要因が指摘されています。肥満もその一つです。

黒人が多く住む地域では、生鮮食品を安く買える店が少ない「食品砂漠」の問題が深刻です。こうした構造的人種差別、経済格差によって、肥満人口の比率も白人より高い。コロナによる人種間の死亡率の差は、健康リスクを高める栄養格差も露呈しました。

栄養不良の人口が多くなればなるほど、経済的にも社会的にもコストが大きくなります。今回のパンデミックで、食料安全保障が個人と社会全体にとって、いかに重要であるかが、改めて確認されました。

これを国際社会への警鐘（けいしょう）と受け止め、コロナ禍という危機の時代を乗り越えた先に、全ての人が健康的な食料を享受できる、より良い食料システム（食料の生産、加工、輸送および消費に関わる一連の活動）を再構築していくべきです。

ワンヘルスの視点

――教授は、新型コロナウイルスが動物由来の感染症とされていることから、人間、動物、生態系の三つの健康を一つに見なす「ワンヘルス（一つの健康）」の取り組みが、さらに重要になると指摘しています。

たった2世紀前まで、全世界の耕作に適した土地のうち、わずか5パーセントしか農地として使われていませんでした。人類は今、地表の約40パーセントを農用地として使用しています。

人口爆発と動物性食品への強い需要が、主な原因です。結果として、人間、家畜、野生動物の間で、新しいウイルスが伝染するようになりました。

動植物の絶滅のスピードは、人類が存在する前より１００倍から１０００倍も速くなっているといわれます。生物多様性が失われ、トウモロコシ、コメ、ムギ、ダイズ、ニワトリ、ウシといった同種の食料システムに代わっています。生物多様性の消失によって、人類は地球温暖化や動物由来感染症などのリスクに直面するようになりました。

人間、動物、生態系の健康は、互いに強く結び付いています。人間の食料システムが気候変動と環境にどう影響し、その結果として変化する生態系がウイルスの拡散にどう関係するのか、同時に知る必要があります。こうした、公衆衛生学や環境学、生物学を横断する学際的な「ワンヘルス」のアプローチを追究しなければ、将来、動物由来の感染症を防ぐことはできません。公衆衛生の問題は、環境の問題でもあるのです。

新型コロナウイルスがもたらした甚大な人的、経済的、社会的な損失を教訓とし、国際公衆衛生を強化するためにも、気候変動の緩和、持続可能な開発、飢餓の終焉、生態系と海洋環境の回復力向上といった課題への対処に、各国政府が協働していくべきです。

――ファンゾ教授の専門分野の一つは、「公平で、倫理的で、持続可能な食生活と食料システム」です。

人間の健康のために、環境や動物をただ犠牲にし続けるだけでいいのか――。難しい倫理的問題ですが、地球資源を次代に残し、動物福祉を守りながら、人間の権利を確保するために、どうバランスを取っていくのが最適なのか、常に問い続けなければなりません。

日々の食生活は、環境に何らかの負荷を与えます。「きょうの食事が、動物や環境、自身と家族の健康、そして自身の住む地域社会にどう影響するのか」と考えるのが、まず実践できることではないでしょうか。

国連の気候変動枠組み条約締約国会議（COP）では、エネルギー問題に議論の大半を割きますが、地球全体の温室効果ガスの実に3割が、人類の食料システムから排出されています。私たち一人一人が何を食べるかを選ぶことは、気候変動の緩和に直結するのです。

誇るべき和食文化

――「持続可能な食生活」を実現するためには、具体的にどういった食品を選べばいいのでしょうか。

植物性食品の方が環境への負荷が少ないといわれますので、動物性食品を少なめにして、野菜や果物をもっと多く食べられるといいですね。日本人はダイズや海鮮食品を多く食べる印象を受けますが、とても健康的で、持続可能な食生活でしょう。同じ海鮮食品でも、特に貝類や海藻が健康的で持続可能な栄養源です。

また食生活に、住んでいる環境の特性が生かされている点でも、日本は世界の模範です。住む場所が変われば、食生活も変わる。地域の特産品を大事にし、地産地消を心掛けるのは、持続可能な食料システムに貢献していることになります。包装された加工食品ばかり食べている米国人とは違います。

日本人の皆さんには、自国の伝統的な食文化に誇りを持ち、大事にし続けてほしいと願います。

――国連の「持続可能な開発目標（SDGs）」の目標2には、食料安全保障と栄養改善の実現も掲げられています。本年（2021年）9月には「国連食料システムサミット」が開催されます。

ＳＤＧｓ達成のロードマップ（行程表）に、食料安全保障をしっかり位置付ける歴史的な会議になるでしょう。食料システムの気候変動への影響を再確認する上でも、極めて重要です。しかし、ＣＯＰと違って、各国政府に対し、説明責任を求めるようにはならないのではないかと懸念（けねん）しています。サミットで国際協力の方途が議論されても、実行されなければ意味がありません。食料システム改善のための途上国支援など、具体的な行動を約し、履行（りこう）する仕組みを構築しなければなりません。

――日本でも近年、ＳＤＧｓ達成への機運が高まり、一昨年（２０１９年）には「食品ロス削減推進法（略称）」が施行されました。

今年（２０２１年）の年末に、「東京栄養サミット」が行われると聞いています（栄養不良の解決に向けた国際協力を推進するための国際会議。東京五輪・パラリンピックに合わせて、日本政府後援で開催）。日本が、食品ロスといった食料システムの国内的課題に取り組むだけでなく、栄養不良といった食料システムの国際的課題でもリーダーシップを発揮していることに、大きな期待を寄せています。

日本は、東日本大震災をはじめ危機的な状況に直面した時に、どう乗り越えていけばいいのかというレジリエンス（困難を乗り越える力）を世界に示してきました。パンデミックによって貧困層が急増する中で、コロナ禍から「より良い」食料システムを再構築する挑戦においても、国際社会は日本から学べるのではないでしょうか。

危機の時代こそ、国際社会が協力していくべき時であり、また協力できるチャンスでもあります。２００８年、世界の食料価格の高騰によって途上国で暴動が発生し、危機的状況に陥った際、Ｇ20（主要20カ国・地域）が結束して、世界農業食糧安全保障プログラムを立ち上げました。結果、16億ドルが投資され、１３００万人もの農家を支援できました。コロナ危機による世界の食料不安を改善するために、こうした取り組みをさらに強化していく必要があります。

コロナ後の国際社会のあり方について議論が重ねられていますが、食料安全保障なくして安定した世界秩序はあり得ません。コロナ禍を真の意味で克服するためにも、各国政府、市民社会、民間企業が今こそ力を合わせて、全ての人が安全で栄養のある食料にアクセスでき、かつ持続可能な、国際食料システムの構築を目指すべきです。

2021年9月29日付掲載

気候変動で岐路に立つ世界
コロナ後こそ行動への好機

コロナ禍は、もう一つの「危機」である気候変動にどう影響しているのか――。エネルギー・環境政策の専門家であるアーパライネン教授に聞いた。

ヨハネス・アーパライネン

米ジョンズ・ホプキンス大学教授

Johannes Urpelainen
フィンランドのタンペレ大学で国際関係学の修士課程を修了後、米ミシガン大学で政治学の博士号を取得。米コロンビア大学の准教授等を経て、現職。ジョンズ・ホプキンス大学高等国際問題研究大学院で、エネルギー・資源・環境プログラムのディレクターとして研究と大学院生の指導に当たる。世界トップレベルのエネルギー・環境政策のエキスパートとして、インドをはじめ新興経済国で大規模な研究プロジェクトを主導し、地方政府や国際機関にアドバイスを重ねてきた。共著に『再生可能エネルギー（仮訳）』など。

気温上昇を抑えるために都市封鎖を50年⁉

——国連の気候変動に関する政府間パネル（IPCC）が先月（2021年8月）、最新の報告書を発表し、人間活動の影響で地球温暖化が進んでいることについて「疑う余地がない」と断定しました。グテーレス国連事務総長は、報告書は「人類への赤信号」だと警告し、COP（国連気候変動枠組み条約締約国会議）26の成功を呼び掛けています。

ＩＰＣＣの報告書が明らかにしたのは、気候変動による衝撃が、私たちが当初予想していたよりも、はるかに早く、より深刻な被害をもたらしているという、紛れもない現実です。米国の西海岸では、酷暑と乾燥によって山火事がたびたび発生し、膨大な面積の森林が焼失しています。農業で生計を立てる人が多い国では、気候変動がもたらす干ばつが深刻な問題です。例えばインドでは、耕作に適さなくなった土地から、既に多くの人々が移住を強いられています。

米国のマイアミやイタリアのベネチアなど、海面水位の上昇が重大な問題になっている都市もあります。国土の大半が低地のバングラデシュでは、海面上昇と異常気象によって土地が失われ、〝気候難民〟が生まれています。次の20年から50年で、完全に海に沈むと予測されている小さな島国もあり、全人口の移住が実際に計画されています。

二酸化炭素などの温室効果ガスを排出し続ければ、こうした問題が一層深刻化し、南極の氷床が解け、海面が急上昇するという、取り返しのつかない「ティッピングポイント（転換点）」を、人類は迎えることになります。水や食料などの資源が枯渇し、人々は生活できる場所を追われます。大規模な移民の発生によって、世界はより敵意に満ちたものになるでしょう。

――昨年（2020年）からのコロナ禍によって世界の経済活動は停滞し、温室効果ガスの排出量は大きく減少しました。アーパライネン教授はコロナ後の気候・エネルギー政策について分析した論考で、先ほど述べたような危機を防ぐには、同規模の経済停滞が今後50年間、定期的に繰り返される必要があると論じています。

昨年は一昨年（2019年）と比べ、温室効果ガスの排出量が世界全体で４％から８％減少したと推測されています。これほど急激に減ったのは、冷戦後初めてのことです。

科学者たちは、2070年までに温室効果ガスのネットゼロ（排出量から吸収量を差し引いて実質ゼロ）を実現すれば、3分の2の確率で、産業革命以降の地球の気温上昇を2度以内に抑えられるとしています。〝コロナ禍級〟の経済停滞を、半世紀にわたって何度も続けなければ、この目標は達成できないのです。

当然、ロックダウン（都市封鎖）を続けるのは非現実的であり、各国経済は通常に戻りつつあります。そうした中、2021年の温室効果ガスの排出量は、コロナ危機前の19年よりも増えると予想されています。

極端な経済停滞なしで気候変動を緩和するには、さまざまな方法が考えられます。一つは、再生可能エネルギーの拡大や原子力発電を利用し、エネルギー生産時の二酸化炭素の排出量を、可能な限り減らすことです。さらに、電気自動車など新しい技術を駆使して、産業を「脱炭素化」させる必要があります。そして、森林破壊を止めることです。

しかし、これら全てを実践しても、地球の温暖化を2度以内に抑えることはできないでしょう。過去に排出された二酸化炭素を吸収する「ネガティブエミッション（負の排出）」が不可欠です。大気中の二酸化炭素を直接吸収して地中に埋める技術などが、それに当たります。

2020年10月の脱炭素宣言で面目を保った日本

――教授は同論考で、「2019年が『気候変動の年』だったとすれば、2020年は、気候変動に関心が寄せられなかった『パンデミック（世界的大流行）の年』だ」と記しています。

私たちは一昨年（２０１９年）、熱波や山火事など気候変動が与える深刻な影響を、実際に目の当たりにしました。また、スウェーデンの環境活動家グレタ・トゥーンベリさんから始まった抗議運動が全世界に広がり、気候変動への関心は、かつてないほど高まりました（一昨年９月のストライキは、１６０カ国以上で約４００万人が参加）。

一方、昨年（２０２０年）は新型コロナのパンデミックが世界を襲い、人々の関心は〝コロナ一色〟になりました。ただ、私がその論考を執筆した昨年８月頃まではそうでしたが、驚くべきことに、気候変動への関心は決して衰えてはいませんでした。

例えば、昨年９月、中国が２０６０年までにカーボンニュートラル（温室効果ガスの排出量から吸収量を差し引いてネットゼロにする「炭素中立」）の達成を目指すと宣言。続いて日本が10月、

2050年までに、カーボンニュートラルを実現した脱炭素社会を目指すと表明しました。当時、発足したばかりの新政権が、脱炭素社会の声明を出していなければ、日本の面目は保たれなかったでしょう。韓国も同月、2050年カーボンニュートラルを宣言しました。

米国では本年（2021年）1月、バイデン大統領が就任初日にパリ協定（産業革命以降の平均気温上昇を2度、理想的には1・5度未満に抑えることを目指す国際枠組み）に復帰する大統領令に署名し、2050年カーボンニュートラル目標を掲げました。これで、ほぼ全ての主要経済国が2050年までのネットゼロ宣言をしたことになります。

——教授は「パンデミック後の時代は、耐久性があって持続可能な世界経済を再構築するための非常に大きな機会を提供している」と論じています。その理由は何でしょうか。

コロナ危機によって世界経済は深刻なダメージを受けました。各国政府は経済回復のために巨額の資金を投入しますが、その投資先を再生可能エネルギーなど脱炭素の分野に向けることで、経済成長と気候変動対策の両方を追求することができます。

さらに、二酸化炭素を排出する化石燃料業界も、コロナ禍によるエネルギー需要の縮小によって損失を被りました。これを機に、化石燃料中心のエネルギー供給システムに依存する「カーボンロックイン」を脱して、再生可能エネルギーを中心とする代替システムに移行できれば、気候変動を緩和できる可能性は飛躍的に高くなります。

今のところ、脱炭素の未来を実現できる具体的な計画と予算を公表しているのは、欧州連合（ＥＵ）のみです。他の国々は、目標は設定しても、どうやってそれを実現するのか、そのために予算をいくら割くのかなど、具体的な行動をまだ公表できていません。

――そうした意味でも、今秋のCOP26が注目されているのですね。

気候変動という21世紀最大の「危機」を食い止めるために、私たちに残された時間はあまりにも限られています。コロナ禍という「危機」をチャンスに変えて、今すぐにでも、温室効果ガスの排出量を削減し始めなければなりません。

新型コロナのパンデミック以来、初めて開催されるという点で、ＣＯＰ26は極めて重要です。今回の会議で、それぞれの締約国が、現状、どういった計画を持ち、実行しようとしているのかを確認し、目標達成のための新たな行動を約し合うことができなければ、人類の未来は暗いと言わざるを得ません。

「脱炭素」達成には市民の政治参画が鍵

――会議の一番のポイントは何でしょうか。

ＣＯＰ26を通し、各国がそれぞれ定める温室効果ガスの削減目標「国が決定する貢献（ＮＤＣ）」を、どこまで引き上げられるかです。

パリ協定の前身である京都議定書は１９９７年、第3回締約国会議（ＣＯＰ３）で採択されました。しかし〝トップダウン〟で、先進国にのみ削減目標を課したため不評でした。

長年にわたる交渉の末、２０１５年の第21回締約国会議（ＣＯＰ21）で採択されたパリ協定は、途上国も含め、それぞれの国が削減目標を決めるＮＤＣが基盤になっています。いわば、各国の主権を尊重する〝ボトムアップ〟の協定です。

パリ協定では、世界における今世紀末の、産業革命以降の平均気温上昇を2度（理想的には1・5度）に抑える目標が決まりました。1・5度に抑えるには、２０５０年までに世界全体でカーボンニュートラルを達成しなければなりません。どれだけの締約国が、これと整合性のある目標と計画を示せるかが、ＣＯＰ26成功の鍵となります。

途上国への資金援助も焦点の一つです。先進国が約束した年間１０００億ドル（約11兆円）にまだ達していないため、途上国は怒りを隠していません。ここが改善しなければ、交渉が難航する恐れもあります。

――私たち一人一人の市民が、気候変動の緩和のためにできることは何でしょうか。

ガソリン車ではなく電気自動車に乗る、あるいは、なるべく公共交通機関を利用するなど、二酸化炭素の排出を削減する方法はたくさんあります。食生活で肉の量を減らすのも、大きな効果があります（肉の生産の過程では、飼料の栽培や輸送などで多量の二酸化炭素が生まれる）。代わりに植物性食品を増やすのは、自身の健康にも、気候変動対策にも良いことです。

しかし最も大事なのは、政治に参画することです。自分たちが選ぶ議員が、どうカーボンニュートラルを達成しようとしているのかを問うべきです。なぜなら、気候変動の問題は、エネルギー政策という社会全体のシステムを変えなければ、決して解決することができないからです。

そうした意味で、日本政府が昨年（２０２０年）10月に、２０５０年カーボンニュートラルを表明したことを私は高く評価しています。

今後さらに重要なのは、目標ではなく具体的な行動です。２０５０年までではなく、２０３０年までに何をするかです。全ての主要経済国にとって、それが現在の焦点になっています。

グレタさんをはじめ、世界中の若者が立ち上がり、大人たちに圧力を掛け、気候変動対策が世界的な潮流になりました。

気候システムの崩壊は、今、私たちの目の前に現れてきています。未来の世代だけの問題ではないのです。目標を宣言するだけの期間はもう終わりました。私たちは、今すぐに行動しなければならないのです。

2021年11月6日付掲載

経済成長に依存しない本当に豊かな社会とは

異常気象が頻発する今日の社会は、気候変動を超えた「気候危機」の時代といわれる。この危機に立ち向かう上で、経済思想家の斎藤准教授は、暴走する資本主義に警鐘を鳴らす。

斎藤幸平

東京大学大学院准教授

さいとう・こうへい
1987年生まれ。大阪市立大学大学院経済学研究科准教授を経て現職。ベルリン・フンボルト大学哲学科博士課程修了。博士（哲学）。専門は経済思想。Karl Marx's Ecosocialism: Capital, Nature, and the Unfinished Critique of Political Economy（邦訳『大洪水の前に』）によって、権威ある「ドイッチャー記念賞」を日本人初、歴代最年少で受賞。その他の著書に『人新世の「資本論」』など。

資本主義に挑む

――昨年（2020年）9月に出版された『人新世の「資本論」』（集英社）は、現在も版を重ね、多くの人に読まれています。同書の主題となっているのが、暴走する資本主義からの転換です。

資本主義を端的に表せば、「際限なく経済成長を追求するシステム」です。最終的にはこのシステムそのものを転換することを、私は提唱しています。

そう提唱する理由は、現代の気候危機の原因をさかのぼると資本主義に行き着くからです。地球温暖化の原因である二酸化炭素の排出量は、資本主義が本格的に始動した産業革命（18世紀）以降に大きく増え始めたことが分かっています。

資本主義の下で人類は、経済成長の代償を地球に押し付けてきました。今まではうまく回っていたように見えても、地球は有限です。ノーベル化学賞受賞者のパウル・クルッツェンは、現代を、人類活動の痕跡（こんせき）が地球の表面を覆（おお）い尽くした「人新世」の時代と名付けました。人間の経済活動によって、資源は使い尽くされようとしています。

その帰結は自分たちに降りかかります。最たる例が気候変動です。また、感染症のパンデミック（世界的大流行）が、人間の森林伐採によってすみかを追われた野生動物が感染源となったと指摘されているのも、人新世の時代における象徴的な出来事といえます。

気候変動については、ようやく多くの人が危機感をもち、各国がさまざまな対策を進めていますが、今のペースでは、この危機はもう解決できません。そうであるならば、無限に経済成長を目指す資本主義そのものに挑まなければならない。そうした思いで私は、「脱成長社会」への転換を訴えています。

もちろんそれは究極的な目標で、実際には、大きな変化は少しずつしか起きません。しかし、時間がかかるからこそ、すぐに行動しなければならないのです。

格差と向き合う

――マルクス（1818～83年）を通して、資本主義の先の時代の在り方を展望されています。研究の原点になっている出来事は？

大きなきっかけは、格差を目の当たりにしたことです。

私は日本の大学に3カ月間在籍した後、アメリカの大学に入学しました。２００５年のことですが、当時の日本では、後の年越し派遣村につながるような労働者の貧困問題がすでに進行していました。こうした問題への理解を深めるために、マルクスを学ぶようになりました。

アメリカで目の当たりにした格差は、日本以上にひどかった。とりわけ転機となったのは、ハリケーン・カトリーナ（05年8月）の被災地でボランティアをした経験です。黒人や有色人種が住む地域は、住居がいつまでも壊れたままで、復興が全く進んでいませんでした。豊かなはずのアメリカでなぜ、これほど厳然たる格差があるのか。労働者や貧困者に非があるわけではない。資本主義というシステムの問題だと確信し、それを研究で裏付けようとドイツの大学院に進みました。

その直後の２０１１年3月11日、東日本大震災が発生しました。東京電力福島第一原発の事故を見聞きして、東京で育った自分も、リスクを地方に押し付けている側だったのだと思いました。このショックは大きかったですね。

原発事故を機に、それまでは労働問題や経済格差を中心に読んでいたマルクスを、環境という視点からも捉えるようになりました。実は、マルクスは、環境問題に大きな関心を持っていました。そうしたマルクスのエコロジカルな視点は事実、近年の研究でも明らかになっていますし、気候変動という私の研究の一つの柱につながっています。

――私たちは資本主義を〝当たり前〟のものとして、受け入れて生きています。どのような視点で見つめ直すことが大切でしょうか。

先ほど資本主義は、際限なく利潤を生み続けるシステムであると言いましたが、そこでは利潤を生むために、あらゆるものが「商品化」されます。

本来は共有であった土地や水などが、ゴルフ場や飲料水といった「商品」となって売られる。あふれる商品に消費意欲をかき立てられ、お金を稼ぐために長時間働く。

こうして人間は、お金に振り回され、商品に振り回される――これがマルクスの根本的な洞察でした。

経済成長の代償は、たいていの場合、恩恵を受ける者の目にふれることのない「外部」に押し付けられます。人間にとっての地球、あるいは一部の富裕層にとっての、劣悪な環境で働く発展途上国の人々も「外部」です。

こうした外部化は、資本主義というシステムが成り立つための前提条件なのです。そうであるならば、地球も人も守るためにはシステムそのものに切り込んでいかないといけない。

マルクスは、商品には「使用価値」と「価値」という二つの側面があると指摘しています。

一方の「使用価値」とは、人間の役に立つこと、人間の欲求を満たす力のことです。喉の渇きを潤す水にも、空腹を満たす食料にも、使用価値があります。資本主義以前の社会では、「富」はこの使用価値を指していました。

他方の「価値」は、お金で測られるものです。必要であるかどうかよりも、「売れるかどうか」が重視されます。資本主義の下では、この「価値」を増殖する、つまり、売れそうなものをどんどん生産するという考え方が支配的になっていきます。

現実に私たちの社会には、本当は必要とはいえない商品が存在するように思えます。「使用価値」が低くても、売れさえすれば「価値」は増えるからです。

例を挙げれば、洋服や食料品の大量生産・大量消費です。洋服も食べ物も、確かに必要です。しかし私たちの必要以上に過剰に生産されているというのが、多くの人の実感ではないでしょうか。ましてや、それらの生産が地球に負荷をかけているのであれば、なおさら私たちは、今の生活を見直すべきです。

身の回りの商品に対して、「本当に必要か」と問う。実際はなくても困らないものであれば、思い切ってなくしていく。そうすることで、より必要なものを、より少ない資源で生産する方向に切り替えることが「脱成長」です。

コモン（共有財産）の再生

――脱成長は〝下り坂〟ではなく、そこに本質的な豊かさがあると言われています。

「価値」を増殖し続ける資本主義の下で、人間は消費に駆り立てられます。そして自らも商品を生産するために、週に何十時間も働き続ける。そうした資本主義から脱することは、「短い労働時間で、そこそこの生活ができる」社会への転換でもあります。

これは、人々の生活が貧しくなることを意味しません。働くプレッシャーから解放され、より自由時間を手に入れられます。生活が安定し、趣味に興じる時間や家族、友人と過ごす時間も増えます。すると健康状態も改善するでしょう。

こうした生き方は、経済成長に依存しない、本質的に豊かな生き方といえるのではないでしょうか。

もちろん、脱成長社会で経済はスケールダウンします。そこで大切になるのが、商品化されていたものを「コモン＝共有財産」として再生し、分かち合うことです。

水や電力、住居、医療、教育といった最低限必要なものを、市民が民主的・水平的に共同管理していく社会が、私が提唱する脱成長社会の姿です。

本来、土地や水は共有の富であり、コモンです。資本主義以前は、共同体の一員であれば誰もが利用できた時代がありました。共有財産だからこそ、人々は自発的に手入れを行っていました。それらを囲い込み、商品化したのが資本主義です。

資本主義の下で商品化された富を再びコモンとして解放し、皆で民主的に管理していく。マルクスは、こうした社会を「コモンを基にした社会」、つまり「コミュニズム」として構想していました。私は、その意味での「脱成長コミュニズム」が大切だと考えます。いわゆるソ連型の共産主義とは、全く異なります。

――あえて強い表現を使われている理由は？

「コミュニズム」という言葉には過激なイメージが付随します。私がこの言葉を「コモンの再生」の意味で使っていることは、私の著書（『人新世の「資本論」』）を読んでいただければお分かりになると思います。

しかし、誤解されることを承知で私がはっきりさせておきたかったのは、資本主義に抜本的に切り込まなければいけないということです。気候変動を、今までの延長線上で解決することは、もうできないのではないか。時間をかければできるとしても、おそらくその時間は残されていないのではないか。

その危機感を、ストレートに伝えたかったのです。私たちが自明と思っていた資本主義――それが問題の本質であると伝えることで、人々の心が〝揺らぐ〟ことが必要であると考えました。

この〝揺らぎ〟がないと、小手先の対策を講じるだけで結局だらだらと環境破壊や搾取を繰り返し、格差や不平等を広げてしまうからです。

もちろん、解決策を講じる時間がたっぷり残されているのであれば、脱成長という概念は必要ないかもしれない。しかし、それではもう間に合わないポイントに、私たちは立っています。

最近もニューヨークで、大洪水のために多くの命が失われました。日本でも、いつ起きてもおかしくありません。こうした災害で犠牲になりやすいのは、生活基盤が弱い人たちです。気候危機をもたらし、格差を生み出してきた社会のシステムに対して、声を上げていく決断が急務です。

個人の努力と社会の変革

――「3・5パーセント」の人が立ち上がることで、社会は大きく変わると語られています。

「3・5パーセント」の人たちが本気になれば、社会は大きく動き始める――これはハーバード大学の政治学者らによる研究ですが、私も著書で、世界各地の社会変革の事例を紹介しています。

どの事例も、始まりは少人数でした。スウェーデンの環境活動家グレタ・トゥーンベリさんの「気候のための学校ストライキ」についていえば、最初は、彼女一人だけでした。

今、異常気象などが相次ぎ、多くの人は〝何かがおかしい〟〝このままではいけない〟と、うすうす感じているはずです。しかし、どう行動を起こしていいか分からずにいるか、あるいは、自分自身の問題だと捉えて、エシカル消費（人や環境に配慮した消費行動）などに励む人もいます。ただ、それでは足りません。気候危機は個人のみならず、社会の問題であるからです。行動を個人で終わらせるのではなく、社会につなげていくことが大切です。
問題に気付いた人がまず行動を起こし、それを声に出していく。たとえば、会社の食堂に（環境への負荷が大きい肉食をやめた）ベジタリアンのメニューがないのはおかしくないか。会社の脱炭素の方針を示すべきではないか、等々。
私は執筆をしますが、同じように、自分の考えを家族や同僚、地域の人と話すことは、小さくない力を持ちます。

――創価学会もまた、個人の「人間革命」を軸とした、平和建設の民衆運動を展開しています。地球の未来に対する強い危機感を斎藤さんと共有し、今後も行動の連帯を広げてまいります。

「個人が変わること」と「システムを変えること」は、ペアであると私は思います。一方で、個人の努力だけでシステムは変わらないし、他方で、システムを変えていくうねりは個人から始まるのも事実です。

個人においては、気候変動は社会全体の問題であると知ることが、まず大切であると思います。そう気が付けば、社会を動かすための行動を考えるようになる。それは「人間革命」にも通ずるのではないでしょうか。

具体的には、クローゼットでも冷蔵庫の中でも、10必要であるものが、20や30も入っていないか。それを適正な「10」に戻すことが、地球の持続可能性という観点からも、豊かで充実した生活を取り戻すという意味からも大切です。今までの「当たり前」「普通」を見つめ直せば、自分にできること、やらなければならないことは多く見つかります。

そして、こうした個人の生き方を、社会というシステムにつなげていく制度や仕組みが必要になります。そうした存在として機能するのが、国家と個人の間にある中間団体であり、NGOやNPO、そして創価学会のような宗教団体も重要な役割を担います。

既存の価値観を転換して、本当に豊かな人生とはどのような人生かを、多くの人が考え、行動していくことを願っています。

気候危機は、今、地球で暮らす世代にしか解決できない問題です。私たちが何を望むのか――それが人類の未来を決定するという事実を、受け止めなければなりません。

2021年9月25・26日付掲載

地球の有限性に向き合い、持続可能な発展を目指す

経済の拡大・成長が行き詰まりを見せる現代にあって、どのような思想の転換が求められているのか。「有限性」をテーマに未来を展望する。

広井良典

京都大学「人と社会の未来研究院」教授

ひろい・よしのり　1961年、岡山県生まれ。東京大学・同大学院修士課程修了後、厚生省（当時）勤務、千葉大学法経学部教授等を経て、2016年から京都大学教授。専門は社会保障や環境、医療・福祉、都市・地域に関する政策的研究から、ケア、死生観などを巡る哲学的考察まで幅広い。『コミュニティを問いなおす』で大佛次郎論壇賞受賞。その他に『定常型社会』『ポスト資本主義』『人口減少社会という希望』『無と意識の人類史』など著書多数。

――人口減少社会やポスト資本主義への洞察など、広井教授が深めてこられたテーマは、コロナ禍でさらに重要性を増しています。現在の危機をどのように見つめていますか。

感染症とはそれだけで独立して存在する問題ではなく、世界の根本的な問題が一つの現象として生じたものであることが、改めて明確になったと思います。

具体的にはまず、人間と生態系のバランスが崩れた結果として、感染症が頻発していることが、たびたび指摘されます。社会や文明の在り方を根本から改革しない限りは、たとえ一度は感染拡大が収まったとしても、感染症のパンデミックは繰り返すでしょう。

もう一つ、コロナ禍によって顕在化した課題として、「一極集中型」社会の脆弱さを挙げたいと思います。東京のような大都市圏に人や企業が密集し、そこから地方に経済効果が波及するのが、今の日本社会の構造ですが、言うまでもなく〝３密〟が常態化し、感染症が容易に広がるのは、そうした大都市圏です。

地方分散の必要性は、コロナ前から指摘されていたことでもあります。実際に、私たちの研究グループが２０１７年に公表した、日本社会の未来に関するＡＩ（人工知能）を用いたシミュレーションでも、「地方分散型」への移行が持続可能な未来への分岐点になるとの結果が出ました。その内容が、コロナ禍で浮き彫りになった課題と大きく重なったことは、私たちにとっても驚きでした。

生き方の分散

――都市から地方という側面にとどまらず、生き方全体を含む「包括的な分散型社会」への転換を提唱されています。

コロナ禍を踏まえて昨年（２０２０年）からは、「ポストコロナ」の未来に向けてのシミュレーションも行い、本年（２０２１年）２月に結果を公表しました。高齢人口や有効求人倍率といった従来の指標に、小規模拠点をつなぐ「サテライトオフィス」導入企業数のような、コロナ禍で社会的な価値が高まった指標を加えて、コロナ後の時代に望ましい社会の在り方を分析したものです。

そこで示されたのが女性の活躍、男性の育児参加、テレワークやリモートワークの推進などの重要性でした。都市から地方といった「空間的」な意味での分散にとどまらず、働き方や住まい方、ひいては生き方を含む、人生のデザインともいえる「包括的」な分散型社会への移行が大切であることが分かりました。

今、日本で最も出生率が低いのは東京です。東京に人が集まれば集まるほど、日本全体の出生率が下がってしまう現実があります。

一方で地方は、出生率は比較的高くても、女性にとっての活躍の場が少ない。期待を抱いて東京にやって来ると、東京では、仕事と家庭を両立させるような環境は非常に限られている。結果的に出生率も下がっていくという、ある種の悪循環の中に日本は置かれているのです。

しかし、女性の活躍の場が増えれば、地方から東京に出て行かなくてもよくなります。東京でも、仕事と家庭の両立が進めば、出生率も回復します。女性の活躍をきっかけに、ウィン・ウィン（相互利益）の好循環が築かれていきます。

また、テレワークやリモートワーク、長期休暇も兼ねて地方で仕事をするワーケーションといった、多様な生き方が促進されることで、生活の質が高められます。都市と地方が互いに栄え、日本の人口も回復していくというようなスケールの大きな未来を、シミュレーションは示したのです。

山登りに例えれば、戦後の日本は、経済成長や人口増加といった山頂に向かって、集団で1

本の道を登っていた時代でした。いわば「単一ゴール・集中型」の社会です。しかし、多様な人生１００年時代にあって、画一的な経済発展モデルはもう成り立ちません。

ただ、山頂に立てば視界は３６０度開かれているように、包括的な分散型社会は、それぞれが自分の好きな道を選び、登り下りができる社会です。単一ゴール・集中型ではなく、多様な生き方を促進することは、各人の創造性を発揮させ、結果として、経済成長や持続可能性にもプラスになると思うのです。

生命中心の経済

――成長一辺倒の画一的な経済モデルに代わる、「生命中心」の経済を提唱されています。

17世紀にヨーロッパで科学革命が起こり、今日の私たちが「科学」と呼ぶものが生まれました。それ以降、「物質」「エネルギー」「情報」が普及していきましたが、それらはもう成熟段階に入っており、次なる社会コンセプトが見え始めている。それが「生命」であるというのが私の理解です。

ここでいう生命は、生命科学という狭い意味にとどまらず、英語の「ライフ」のことです。ライフは、人生や生活を指します。また、地球の生態系や生物多様性のような広い意味での生命も含まれます。

この生命を軸に、「生命関連産業」というものを考えると、少なくとも五つ——①健康・医療、②環境（再生可能エネルギーを含む）、③生活・福祉、④農業、⑤文化という分野があります。

いずれも、生命に深く関連した経済活動の領域であり、こうした分野を発展させていくことが、ポストコロナの時代に重要になると考えます。

生命関連産業は、比較的小規模で、地域に密着したローカルな性格が強いことに気が付くと思います。地域再生に寄与する効果が見込まれますが、一方で、そうした小規模でローカルな産業が、現実に経済を回せるのかという疑問が生じるのも、当然です。

しかし、実は日本では、サービス業をはじめとする第3次産業が、雇用の70％を占めています。製造業などの第2次は25％、農業などの第1次は4、5％となっています。

地方を活性化するというと、大きな工場ができて、何百人、何千人の雇用が一気に生まれるという製造業的なモデルで考えがちですが、現実には、すでに第3次産業が大半を占め、小さな産業が積み重なって経済が回っているのです。そういった視点や発想の転換が必要であると思います。

コロナ禍の中で、国家の経済成長というマクロの視点だけでなく、生命の充実や幸福度を高めていくことを目指す、ミクロな視点に立った経済構造が求められているといえます。

創造性の発揮

――生命関連産業への転換は、資本主義の暴走を食い止めるという視点もあると思います。現実に資本主義が行き渡った生活の中にあって、いかに生命中心の社会へと移行することができるでしょうか。

経済思想家の斎藤幸平さんが書いた『人新世の「資本論」』が昨今、話題になっています。マルクスの思想の本質に立ち返り、資本主義に代わって「脱成長」を訴える内容ですが、こうした書籍が大反響を起こすこと自体、時代の変化を象徴する例だと思います。

私自身の「ポスト資本主義」の構想には、三つの柱があります。市場経済、コミュニティー、政府であり、それぞれ、「私」「共」「公」という領域に言い換えられます。

斎藤さんは「コモン＝共」の再生を軸に論を展開していますが、私は「私」と「公」も合わせた三つが全て重要で、どれ一つ欠けてもいけないと考えます。

私の理解では、市場経済そのものは古代から人間社会に存在した、つまり、資本主義の誕生よりもはるかに昔からあったものであり、二つはイコールではありません。むしろ、市場経済に「限りない拡大・成長への志向」がプラスされたものが資本主義であるとすれば、その拡大・成長路線が成り立たなくなっているのは、今日の気候変動を見ても明らかです。

その意味で、私は大きくいえば「脱成長」の立場であるといえます。言い換えれば、GDP(国内総生産)といった量的拡大を唯一絶対の目標にするような在り方ではなく、「持続可能な発展」「定常化社会」を目指すという考えです。

「一本道」を皆で登るのではなく、一人一人が創造性を発揮する。そうすることで、結果的に、持続可能な発展ができることもあるのではないでしょうか。

死の意味を問う

——近著『無と意識の人類史』では、そうした持続可能な発展、ポスト資本主義の人類の未来について、「有限性」をテーマに論じられています。

現代は二つの有限性に、根本的なレベルで向き合っている時代だと考えます。

一つは、すでに申し上げている「地球環境の有限性」です。環境や資源が有限であるという事実を直視し、いかに生きていくかが人類に問われています。

そしてもう一つは、「生の有限性」です。近年、人間の寿命は無限に延ばせるといった〝現代版「不老不死」〟ともいえるような議論や、脳内の情報を全てコンピューターに入れ、移すことで意識を永続化できるといった議論が真面目に行われています。

全てを否定するわけではないですが、私には、身体や意識を永続化させることが人間を本当に幸せにするかどうか、疑問です。

そこには、資本主義のように無限の拡大を目指す思想が根底にあるように映るのですが、むしろ私は、人間の一生は有限であることを、積極的に捉えるべきだと考えています。

一人一人の人生は有限であっても、無数の世代間のつながりの中で、人間がつくる価値や文化などは無限に広がっていきます。むしろ、物質的な有限性を認識するからこそ、有限にとどまらない無限の価値を創造していくことができるとさえいえます。

人間は誰もがいつかは死ぬ一方で、死を受け入れることは簡単ではありません。だからこそ、ます。

「死」というものの意味を自分のものにできれば、生きていくことの意味やエネルギーにつなげていけるのではないか。そうした思いで、今も「生の有限性」というテーマの探求途上にいます。

「物質的価値」から「精神的価値」へ

――気候変動やコロナ禍の中で、私たちはまさに「地球環境の有限性」「生の有限性」に直面しています。広井教授は、人類が精神革命の中で、新たな発展と生存の道への転換を図ってきたと言われています。

人類は人口と経済の「拡大・成長」「成熟」「定常化」というサイクルを3度繰り返し、現代は「第3の定常化」への移行期にいるというのが、私の考えです（※図1「人類史における拡大・成長と定常化のサイクル」を参照）。

第1のサイクルでは、約5万年前に起きた「心のビッグバン」を経て、「第1の定常化」に移行したと考えられます。この頃、洞窟壁画のような絵画や装飾品、芸術的な縄文土器などが一気に現れました。それらは生活に必要な実用性を超え、人間の〝心〟がこの時に生成したと見

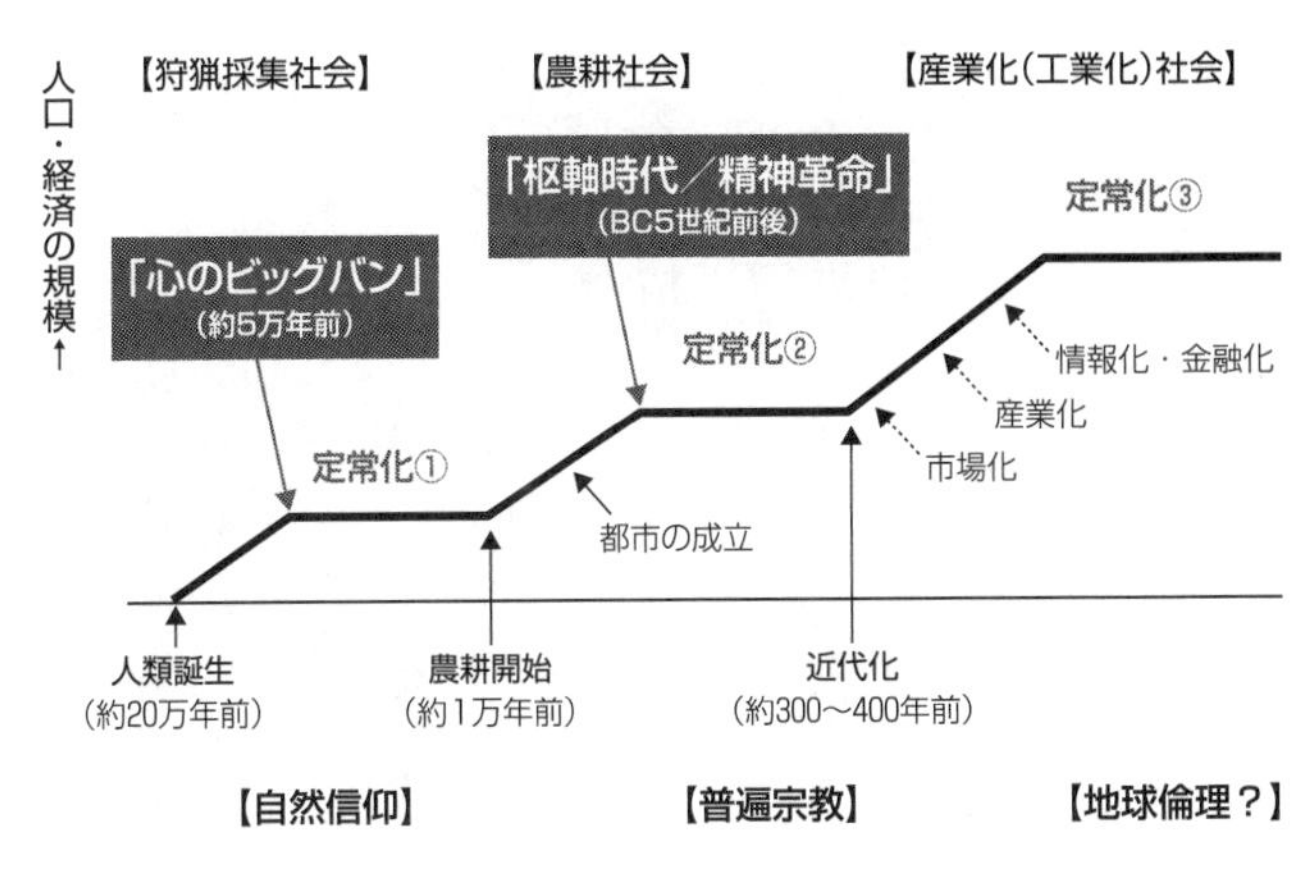

【図1】人類史における拡大・成長と定常化のサイクル

ることができ、自然信仰を軸とした宗教の原初的な形態が大きく関わったと考えられます。

また、第2のサイクルにおいては、ドイツの哲学者ヤスパースが「枢軸時代」、科学史家の伊東俊太郎が「精神革命」と呼んだ紀元前5世紀ごろが、「第2の定常化」への移行期となりました。この時期、インドでは釈尊の仏教、中国では儒教や老荘思想、ギリシャではソクラテス、プラトン、アリストテレスの哲学、中東ではキリスト教やイスラムの原型である旧約思想など、現在に続く普遍宗教・思想が、〝同時多発的〟に起こりました。

次いで、近代化によって第3のサイクルが始まります。市場化、産業化、情報化・金融化の中で、人類は、地球資源を際限なく大量消費してきました。

そして今、私たちは「第3の定常化」への移行期に立っていると考えています。

第1、第2のサイクルを見て分かるのは、拡大・成長から成熟、そして定常化への移行期は、進歩が止まったり停滞したりするのではなく、むしろ、文化的にも極めて創造的な「イノベーションの時代」であったということです。

特に紀元前5世紀の「枢軸時代・精神革命」は、森林の減少といった地球環境や資源の限界にぶつかり、「物質的な量的拡大」から「精神的・文化的発展」へ、舵を切った時代であったといえます。

資源が枯渇する時代というのは、争いが起こりやすい状況です。その中で、生存のために発展の方向を切り替えたといえますし、それは何かを我慢するという消極的な転換ではなくて、新たな発展の在り方に、喜びやプラスの価値を見いだす転換であったのです。

仏教をはじめとする普遍宗教・思想は、まさにそうした背景の中で生まれ、個人という領域を超越し、社会全体の文化的な発展と成熟を支えてきました。一方で、現代社会に至っては、既成の思想や宗教的価値観が対立し、分断を引き起こしていることも事実です。

その意味で、「第3の定常化」への移行期である今こそ、「心のビッグバン」や「枢軸時代・精神革命」に匹敵するような、新しい思想が誕生する必要があるのではないでしょうか。既成の価値観の分断を超える新たな思想という観点で、私は「地球倫理」というものがキーワードになるのではないかと考えています。

多様性こそ人間の豊かさ

――人類が「第3の定常化」の時代に入ろうとする今、必要とされる「地球倫理」とはどのようなものでしょうか。

気候変動などの問題が広く議論される今では、あえて「地球」を打ち出すこと自体に目新しさはないかと思います。しかし一つ確認したいのは、「第2の定常化」への移行期となった、紀元前5世紀ごろの諸思想が誕生した「枢軸時代」「精神革命」においては、私たちが現在使う「地球」という概念は、まだ存在していなかったということです。

その時代に重要な意味をもったのは「宇宙」という概念であり、〝宇宙において人間はどういう存在か〟といった問いに答えるべく、仏教や儒教、ギリシャ哲学、キリスト教やイスラムの原型である旧約思想が生まれました。ここでいう宇宙とは、森羅万象の全体や、秩序といった意味合いが強いものでした。

つまり、環境や資源が限られた地球という視点は、現代の新しい概念であり、これからの倫理観を考える上でのキーワードなのです。

地球倫理には、大きく三つの柱があります。一つ目は、「地球資源・環境の有限性を認識すること」であり、その重要性はこれまで述べてきた通りです。

二つ目は、「風土の相違に由来する、文化や宗教の多様性を理解すること」です。「枢軸時代」に誕生した多様な思想、宗教は、普遍性を持ちながら、実際には、その内容は互いに大きく異なっていました。その理由は、それぞれの世界観や自然観が、生まれた地域の環境や風土を色濃く反映していたからではないかというのが、私の見方です。

例えば、砂漠のような環境に住んでいる民族にとっては、いかに自然をコントロールするかということが関心となり、そこから、自然の上に立つ人間の、さらに上に立つ超越的な神が存在するという世界観が形成されやすかったといえます。実際に、砂漠地帯が広がる中東で、キリスト教やイスラムに展開していく旧約思想が生まれました。

あるいはアーリア人の一部は、中央アジア近辺からインド北西部、そしてガンジス川流域へと進む中で、豊かな森に出あいます。自然は人間に優しいものとして映り、自然や宇宙と一体化していく世界観を土台にして、仏教の源流をなす哲学が生まれました。

このように、同じ人間でありながら多様な思想や宗教が生まれる背景には、環境や風土の多様性がある。それが人間の豊かさでもあるわけです。それを認識するのが、地球倫理の２番目の柱です。

これは、普遍思想同士が対立する今日にあって、文化間の相互理解の道を開く姿勢でもあると思います。

生きている自然

三つ目の柱は、「それらの根底にある自然信仰を積極的に捉えること」です。

「自然信仰」とは、自然の中に内発的な力を見いだすことを指します。人間と自然を区別する機械論的な理解から離れ、人間の根底にある〝生きている自然〟を再発見、再評価するということです。

このような自然信仰は約５万年前、「第１の定常化」への移行期に起こった「心のビッグバン」と同時に生じたものであり、さまざまな宗教や信仰の根源にあるものです。しかし、続く

「枢軸時代」「精神革命」によって生まれた一部の普遍思想や宗教においては、そうした自然観は忌避されるようになった部分もありました。とりわけ昨今の地球的問題を見れば、自然に対する人間の態度は見直しを迫られているのは明らかです。

その意味でも、人間が本来もっていた自然信仰に通じるような自然観を取り戻すのが、地球倫理の重要な側面であると思っています。

周縁からの思想

——地球倫理を実践する生き方とは、どのような生き方になるのでしょうか。

三つの柱である有限性・多様性・自然信仰を、きちんと意識して生きるということではないでしょうか。

最近の若い世代の行動を見ていると、地球倫理ともいえる行動を起こす人は多くいるように思えます。例えば、千葉大学で教えていた頃のある卒業生は、農業と再生可能エネルギーを組み合わせたソーラーシェアリングと呼ばれる事業を進めるための企業を設立しました。また、社会的課題の解決に向けた会社を立ち上げた別の卒業生は、自分がやりたいのは自己実現ではなく世界実現だと語っていました。

彼らのような若者の意識には、地球倫理に通じる点があります。地域に根差しながら地球のために行動する、以前から言われてきた「シンク・グローバリー、アクト・ローカリー」の生き方を体現する人たちが、多く出てきた実感があります。

そうした生き方を促（うなが）していく上で、仏教のような世界宗教が果たす役割は大きいと、私は思います。仏教も、キリスト教も、時代の状況に応じて進化を重ね、その一方で、時代が変わっても変わらない根幹の部分があります。

枢軸時代、精神革命の時代に生まれた普遍宗教が現代的な形で進化していくと、それは限りなく地球倫理と重なるものになってくるのではないかと思います。創価学会に期待するのも、その点です。

特に日本の仏教は、自然信仰を重視してきた側面がありますし、地球倫理的な発想と親和性があると思います。

また、ユーラシア大陸の東端という辺境に位置する日本は、中国文明から大きな影響を受けながらも、一定の距離を保ち、一方で、アジアの中でいち早く近代文明を導入していきました。

新しい思想は周縁から生じてきた側面がありますし、日本人は世界中のいろいろな思想を俯瞰する視点を持ちやすいといえます。

共生と個体化

――歴史を紐解けば、地球倫理の〝対極〟といえるような紛争や対立、支配が繰り返されてきました。近著『無と意識の人類史』では、共生することの本質について述べられています。

バクテリアのように、単純な細胞からなる「原核生物」に対して、人間を含む「真核生物」は、原核生物と原核生物が融合し、ある種の共生を行って誕生した、複雑さをもつ生物だといえます。

このことから、生命はある意味で「共生」を志向するといえますが、一方で、人間が無数の争いや対立を引き起こしてきたことも事実です。これを踏まえると、生命の原理は共生のみであるということは、やや単純化した議論になってしまいます。

そこで私は、人間を含む生命について、「共生」と「個体化」という異なる二つのベクトルを

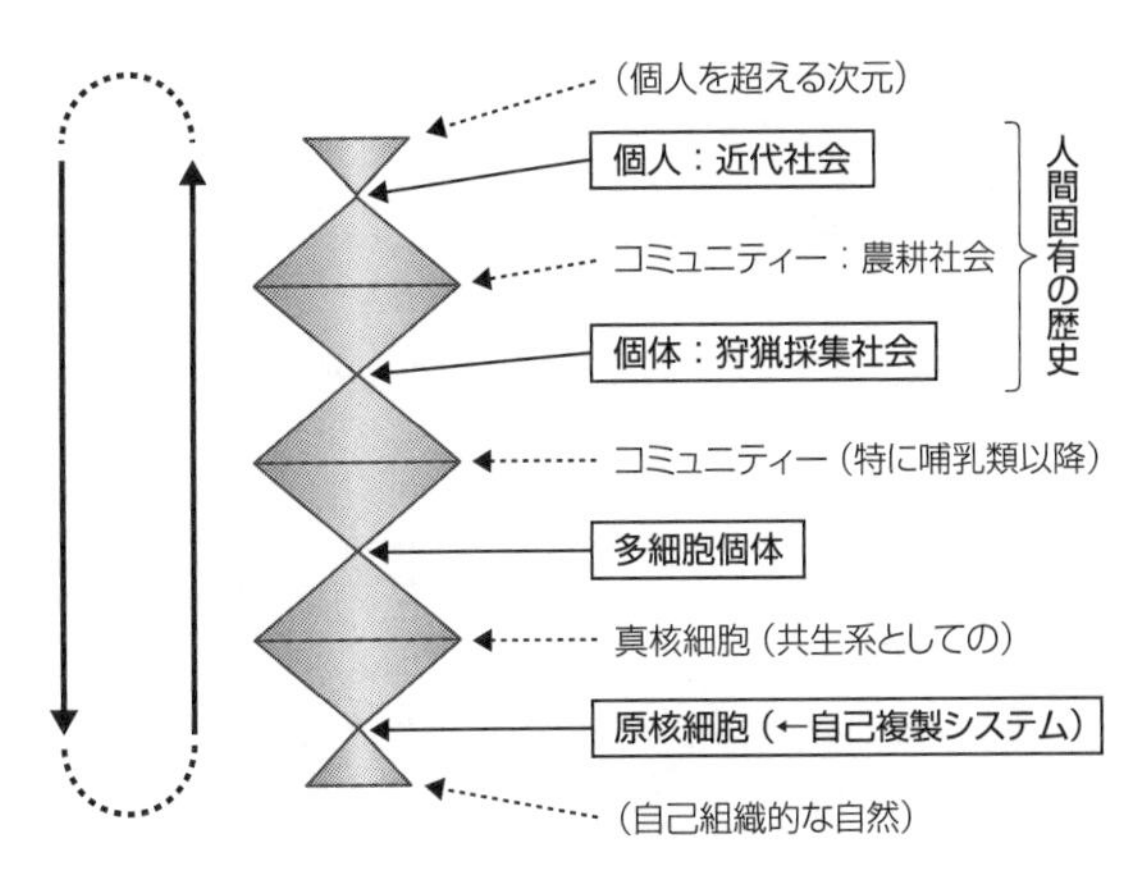

【図2】生命以降：共生と個体化のダイナミクス

もつ存在であると考えています。

生命の起点をなす原核細胞が共生して、真核生物の基本単位である真核細胞が生まれました。そこから生命はさらに進化を遂げ、複雑性を増しながら、「多細胞個体」といった多様な形態をとっていきます。これは、他の存在から独立するといった、共生とは異なる「個体化」のベクトルが働いたことを意味します。

つまり、原核細胞の後に真核細胞が生まれ（共生）、その後に多細胞個体が登場した（個体化）。このサイクルを表した図２では、膨らんだ部分が共生の方向を、細くなっている部分が個体化の方向を意味しています。

図２の中で、多細胞個体の登場以降、今度はその個体同士が、再び共生・協調のベクトルを強めて誕

生したのが「コミュニティー」です。

それ以降の展開は、人間固有の歴史として説明することができます。狩猟採集社会では「個体」、農耕社会では「コミュニティー」ないし共同体が軸となり、近代社会は、再び「個人」が軸となる社会であることを示しています。

そしてこれからは、個人を超えてコミュニティーや自然とつながる必要があるという意味で、近代社会の上に「個人を超える次元」を配置しています。

個人のたゆまぬ自己変革の挑戦から対立超える「地球倫理」が生まれる

――宗教はまさに、そうした自己超越を一つの目標としているといえます。創価学会の信仰活動は、社会の平和と安穏を目指し連帯していく「広宣流布」と、自身を限りなく変革し向上していく「人間革命」を両輪としています。広井教授が言われる「共生と個体化」のイメージと重なる点もあるかと思います。

そう思います。私が強調しているのは、共生と個体化のどちらも重要であるということです。

一般的に、「共生」という言葉のほうがプラスのイメージがあり、個人主義的なものはネガティブに捉えるような向きもありますが、本来的には「個体化」が悪いということではないのです。

また一方で、気を付けたいのは、共生というのはどうしても、共生する集団内部の連帯は重視するけれども、外部に対しては閉鎖的、敵対的になる可能性があります。私はこれを、「共生のパラドックス」と呼んでいます。

共同体の倫理が強くなればなるほど、閉鎖的になりがちな集団を、外部へと開いていくベクトルが必要になる。そこで大切になるのが、個々人が自分を超える存在――自然や地球、普遍的な思想とつながり、自己変革していくこと、つまり「個体化」です。

「共生」に潜む排他性や敵対性を克服するために、個人が確固とした思想や精神性に立つ――押さえるべき大切な視点であると思います。

かつての精神革命は、まさに個人の内的な原理を打ち立てたものであったといえます。そして今、「第3の定常化」への移行期に求められる地球倫理は、しっかりと個人を立てながら、同時にそれを超えてコミュニティや自然、生命につながっていくものであると私は思います。

第3章

誰も
置き去りにしない
社会を築く

2021年6月18日付掲載

少数者に優しい社会とは、誰もが暮らしやすい社会

生きる上で誰もが無関係ではない「経済」。そのあり方は、長期化するコロナ禍で大きな変化を強いられている。この時代に持つべき視点などを、経済学者の松井教授に聞いた。

松井彰彦

東京大学大学院教授

まつい・あきひこ　1962年生まれ。東京大学卒業。米ノースウエスタン大学MEDSで博士号取得。ペンシルベニア大学経済学部助教授、筑波大学社会工学系助教授を経て現在、東京大学大学院経済学研究科教授。「ゲーム理論の観点から社会現象全体を解釈しようとする研究」により、学術振興会賞、日本学士院学術奨励賞受賞。国際的な業績を挙げた45歳未満の経済学者に贈られる日本経済学会中原賞受賞。エコノメトリック・ソサエティ終身特別会員。著書に『高校生からのゲーム理論』『市場って何だろう』『慣習と規範の経済学』『障害を問い直す』（共著）など多数。

――コロナ禍の今、これまでの〝当たり前〟から抜け出し、新たな日常を築くことが求められています。経済を考える上で、大切な点は何でしょうか。

「経済学の祖」といわれるアダム・スミスは、同じスコットランド出身の先輩に当たる哲学者のデビッド・ヒュームと親交を結びました。そのヒュームは、物質的世界を理解するための「物質の科学」に対して、「人間の科学」を提唱し、スミスの経済思想にも大きな影響を与えています。

経済学の授業では競争の原理や分配の法則なども教えますが、元をたどれば、経済学とは人間について探究し、苦しみや喜びといった感情や主観を分析する学問であるといえるのです。

そうした視点で社会に目を向けると、コロナ禍では生活基盤が安定していない人たちが、特に大きな打撃を受けていることに気付きます。経済政策などで救われる人がいる一方で、そうした政策の網からさえも漏れてしまうような人たちがいるのも現実です。

実際、ホームレスの人たちの多くは公的な本人確認書類が取得できないといった理由から、昨年（2020年）の一律10万円の特別給付金をもらうことができませんでした。

近年、性的少数者をはじめ、さまざまな立場や境遇の人に光が当たる社会になってきていることは、大きな進歩といえます。しかし一方で、それでも光が当たらない人々との格差が広がりつつあります。もともと社会に存在していた問題が、コロナ禍でさらに表面化しているといえます。

――そうした弱い立場の人たちへの視点を経済学に取り入れ、「障害と経済」をテーマに研究を続けてこられました。

「障害」と「経済」は異質にも見える組み合わせですが、その始まりは、十数年前、障害学を研究する2人の先生との交流でした。

当時、東京大学で障害者雇用を推進するためのワーキンググループが立ち上がりました。そこで、2人の先生方と議論するうちに、障害学と経済学の相性のよさに気付いたのです。

個人が何を考え、どう行動するかをベースにしながら、社会について考えるのが経済学です。その第1原則は、個人はそれぞれの行動原理に従う――つまり、「自分のことは自分で決める」ということです。

一方、障害学は、〝障害者をいかに社会に適合させるか〟と考える医学やリハビリテーションに対立する理論として、発展した側面があります。〝社会が障害者に適合すべき〟であり、障害者を対象ではなく、自ら考え、行動する「主体」と捉えるべきであるというのが、障害学の立場です。

こうして見ると、二つの学問は、個人はそれぞれが自立した存在であるという点で結び付きます。

「自立」の対極に当たるのは「依存」であり、自立とは誰にも依存しないことだと思われがちです。しかし経済市場を通して考えてみると、決してそうではないことが分かります。

例えば、ある客がA店を気に入らなければ、B店に移れる。また、ある店がC客に嫌われても、D客に商品を買ってもらえる……こうした市場の特質は、客にとっても店にとっても、多くの選択肢があるということです。切れたら終わりの一本の命綱ではなく、さまざまな〝ゆるいつながり〟に依存し、支えられている。自立するためには依存先を増やすことが大切で、その依存先を提供してくれるのが市場なのです。

障害者にとっても、特定の誰かに支えられる生活はとても脆弱（ぜいじゃく）です。その誰かがいなくなれば、生きていけないからです。障害者が多くの依存先を持ち、特定の誰かではなく、さまざまな人に頼れる状態こそが、「自立」といえます。

――費用対効果を重視してきた経済学は、「ゲーム理論」の発展で大きく変容したと述べていらっしゃいます。どのような理論でしょうか。

従来の市場理論では、「市場対個人」をベースとして、顔の見えない取引関係が想定されています。それに対してゲーム理論では、「個人対個人」の顔の見える取引関係をベースにしています。

いわば、ゲーム理論は「人間関係を科学する学問」であるといえます。有名な例えに「囚人のジレンマ」(※注1)などがありますが、私たちの実生活でも、さまざまな場面で応用されています。

例えば、友人同士が渋谷駅で待ち合わせする場面を想定します。駅で会うとだけ決めていたところ、片方が携帯電話を忘れてしまいました。どうするか。

渋谷といえば、相手は「ハチ公前」を思い浮かべるのではないか――。そう互いに考えるので、とりあえずハチ公前に向かえば、会える可能性は高いですね。

しかし、これが新宿駅となると、話は別です。待ち合わせ場所といっても無数に存在し、どこに相手を探しに向かえばいいのか、途方に暮れてしまいます。

でもここで、２人の関係が非常に深く、〝新宿のあの店が好きと言っていたな〟などと思い出せば、ひとまずその店に向かうというのは、一つの選択肢になるわけです。

こうしたゲーム理論が教えることの一つは、相手の考えを「読む」ことの大切さです。渋谷であれ、新宿であれ、〝相手はどこに向かうだろうか〟を考えることで、初めて２人は出会えるわけです。

その意味で、ゲーム理論は、「自分のことは自分で決める」という経済学の第1原則に、「相手のことを考える」という要素を加えたといえます。

ここでAとBが互いに相手のことを考えている時、同時に自分自身のことも考えているというのが、ゲーム理論の難しくて、面白い部分でもあります。また、２人の間では納得し合えても、それが大人数、ひいては社会全体になれば、ゲームはより複雑になります。

このように、経済学は、人の考えや行動を分析する上での、「ものの見方」を提供する学問であるともいえます。

当事者性の強弱

――「ものの見方」に関連して、〝ふつう〟を問い直す重要性を訴えてこられました。

経済モデルでは、どうしても、〝ふつうの人がどう考え、行動するか〟という点に目線が置かれます。

同様にあらゆる社会のきまりも、〝平均的な人〟に向けてつくられたものばかりであり、そのきまりに適応できない人が「障害者」等と認識される。今の障害者制度の基本的な考え方もそうだといえます。

そこでは、例えば人間の能力をIQ（知能指数）で測り、ある数値を下回れば障害者であるというような、明確な線引きがなされるわけですが、私は、この「障害者／非障害者」といった二分法に、注意が必要だと考えています。

その制度のはざまにいる人たちが、見落とされてしまうからです。実際、障害者手帳が交付された人には障害者雇用の機会がある一方で、同じように社会で生きづらさを感じていても、手帳を持っていなければ、雇用されないといった現実もあります。

そう考えると、「障害者／非障害者」といった分類では太刀打ちできない問題が多くあることに気付きます。

人間は本来、大なり小なり、誰もが平均から外れている以上、「当事者／非当事者」という二分法ではなく、障害という当事者性の「強弱」という視点に立つと、社会の問題が見えやすくなります。いわば色の濃淡を表すグラデーションのように、障害という問題を捉えるのです。

特に日本は、障害者制度にしても、はっきりとした二分法を採っている数少ない先進国です。もちろん、制度の上では、特定の基準で線引きしなくてはならない場面も多くあります。しかし大切なのは、私たちの見方や考え方までもが、「白か黒か」の二分法にならないことだと思います。

「支援すべき人／しなくてもいい人」というように人々を分類するのではなく、たとえ同じ人であっても、〝この場面では問題ないけれども、別の場面ではサポートが必要だな〟というように、柔軟に捉えていく視点が大切ではないでしょうか。

プラトンと仏陀

——その意味では、障害者という属性は固定的なものではなく、社会の中で生み出されたものであるといえます。

その通りです。〝ふつう〟から外れた人に烙印が押される——それはまさに社会的産物です。そして、そうした社会の認識や慣習をつくるのは人間です。

個々の経験から一般的、普遍的な法則を見いだそうとする行為を「帰納」と呼びますが、個人が経験できることは限られている以上、そこから生み出される法則は、不完全である可能性を常にはらんでいます。

そこに思いをはせるということは、自分が考える〝ふつう〟という基準は、絶対ではないとの認識に立つことでもあります。

このことを古くから表現したのが、西洋では古代ギリシャの哲学者プラトン、東洋では仏陀（釈迦）です。

プラトンは「洞窟の比喩（ひゆ）」（※注2）を通して、私たちが見ているものは、洞窟に映る影のように、真実ではないと言いました。

あるいは仏陀は、人間が水と見るものも、餓鬼は膿血（のうけつ）の河、魚は住処（すみか）、天上人は宝石の大地と見ると教えました。境遇や視点によって、ものの捉え方が異なるということです（※注3）。

プラトンも仏陀も、自分の限られた経験によって導き出された〝ふつう〟から抜け出して、太陽に照らされた広い世界を見る努力の重要性を、示唆（しさ）しているように思います。

自分の〝ふつう〟を問い直す

――〝ふつう〟から外れているといわれるような、少数者の人たちを助けることは、社会全体を利することにつながると述べていらっしゃいます。

私は、いわゆる〝平均的な人〟などいないのではないかと思います。誰もが生きづらさを抱えており、多かれ少なかれ、〝ふつう〟から外れているのではないでしょうか。

そう考えると、生活保護を受けている人や障害者らについて考えることは、ある意味で、誰もが抱えているかもしれない問題を、拡大鏡のように大きく見せてくれていると捉えることもできます。その意味で、少数者に尽くすことは、多数者の人たちを犠牲にするものではないのです。

実際、東京大学では2010年度に在宅就労制度を導入し、私の研究室では現在、3人の障害者が自宅で働いています。在宅就労の道が開かれたことで、今後は障害者に限らず、さまざまな境遇の人たちに就労の機会が広がる可能性は大いにあります。

あるいは駅のエレベーターも、はじめは、車椅子の障害者のために設置されたりします。しかし、いざ設置されれば、高齢者やベビーカーを押すお母さん、重い荷物を持った人なども使うようになり、どんどん満足の度合いが上がります。

障害者を社会の中に包摂しようという努力は、結果として他の多くの人にとってもプラスになるのです。

弱い立場の人たちが暮らしやすい社会は、全ての人が安心して暮らせる社会でもあります。そうした社会のあり方を、私たちは目指すべきです。

障害者やホームレスをはじめ、声を上げられないような状況で生きる人たちが、多くいます。その人たちに寄り添うのが政治の役目ですが、現実には、そうした高潔な政治の理念は行き届かない時もあります。

だからこそ、政治を監視し、正していくのは一般の人たちであり、創価学会の皆さんに期待するのもその点です。政治が見落としてしまいそうな人々にも手を差し伸べ、庶民の声を代弁していただきたい。

人々を区別し、分類してしまう、社会の〝ふつう〟を問い直す。そして、障害者に対して抱くような愛情や優しさを、全ての人に注いでいく。そうした生き方が多くの人の〝ふつう〟になれば、どれほど素晴らしい社会になるでしょうか。

最初に行動するのは一人であっても、それが10人、１００人と広がれば、社会の認識や慣習に変わります。希望あふれる未来をつくるのは、人間自身の行動と連帯なのです。

※注1

囚人のジレンマ　共犯者である2人の囚人が、別々に取り調べを受けている状況を想定したゲーム。互いに黙秘すれば証拠不十分で釈放されるが、互いに自白すると一定の刑に服する。このままだと互いに黙秘するほうが良さそうだが、刑事が「お前が自白して向こうが黙秘すれば、あいつを首謀者（しゅぼうしゃ）にしてお前は釈放してやる」と持ち掛けると、自分が黙秘しても相手は自白するのではないかと疑心暗鬼（ぎしんあんき）になり、２人とも自白してしまう。

※注2

洞窟の比喩　古代ギリシャの哲学者プラトンが『国家』の中で述べた。生まれながら洞窟に鎖でつながれた囚人たちが、壁に映じる人や動物の影を実在と思い込んで育つ。解放され、外の世界へと出た囚人の一人は、少しずつ、物事の真実（＝実在の世界）に目を慣らしていく。人々が固定観念や偏見によって、真実をありのままに認識できないことの比喩。

※注3

御書には「餓鬼は恒河（ごうが）を火と見る人は水と見る天人は甘露と見る水は一なれども果報に随って別別なり」（1025ページ、新版1411ページ）等とある。

2021年12月15日付掲載

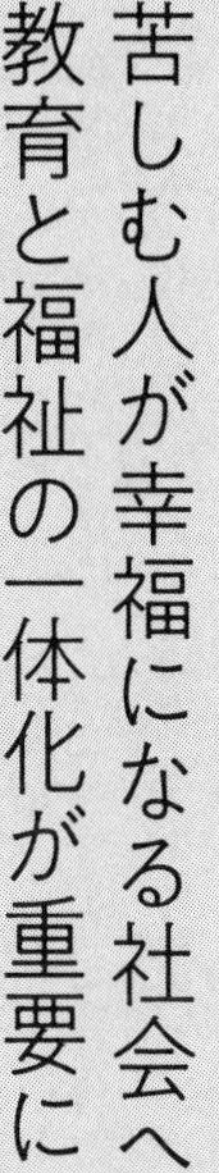

苦しむ人が幸福になる社会へ 教育と福祉の一体化が重要に

日本の社会福祉政策、高等教育の研究をしてきたグッドマン教授に、子ども政策の日英比較について聞いた。

ロジャー・グッドマン

英オックスフォード大学教授

Roger Goodman 1960年、英国生まれ。専門は日本の社会福祉政策、高等教育。ダーラム大学卒業後、オックスフォード大学で博士号（社会人類学）を取得。エセックス大学准教授などを経て、オックスフォード大学日産現代日本研究所教授に就任。同大学セント・アントニーズ・カレッジ学長、英国社会科学アカデミー会長を務める。著書に『帰国子女——新しい特権層の出現』『日本の児童養護——児童養護学への招待』などがあるほか、多数の共著・編著がある。

都市封鎖で教育格差

――英国では、コロナ危機は子どもたちにどのような影響を与えているのでしょうか。日本では昨年度（2020年度）、小中学生の不登校等が過去最多となり、文部科学省は〝コロナ禍が子どもの生活に変化を与えた〟と分析しています。

英国では日本よりもかなり長期間、ロックダウン（都市封鎖）で学校が休校だった点が大きな違いです。オンラインで授業を行いましたが、学校の資金力や教育力によって、子どもたちの状況に差が生まれたことは否めません。

在宅勤務などで両親が家にいて、子どもたちと一緒に時間を過ごし、学校教育の手伝いをできた家庭は、比較的に良い教育を受けられたと考えられます。

一方、貧困地域などで、両親が共に外に出て働く必要があった家庭の子どもたちは、サポート体制の不足から、1年間にわたって十分な教育を受けられなかったのではないかと危惧されています。社会階級の差が、そのまま教育格差になってしまったのです。そうした子どもたちを支援するよう、教育・学術界から政府に強い要望がありました。
政府の支援が足りないことを理由に、この分野の専門家が意思表示のため、政府の職を辞するといったこともありました。英国の子どもたちがコロナ禍によって払わされた最も大きな代償は、教育の機会の損失だと考えます。

――子どもたち自身に変化はありましたか。

コロナ禍によって、子どもたちの不登校や自殺が増えたという確たる証拠は見当たりません。しかし、家庭内暴力が増加したのではないかという強い懸念はあります。一番深刻な問題は、すでに難しい家庭環境にいた子どもたちがロックダウンによって家から出られず、逃げ場を失ってしまったことです。
これはどの国でも同じでしょうが、コロナ禍は、すでに存在していた問題を浮き彫りにしました。根本的な問題が、コロナ禍という危機に直面したからこそ明るみに出てきたのです。

児童虐待の〝発見〟

――日本では昨年度(2020年度)、児童相談所が対応した児童虐待件数が初めて20万件を超え、コロナ禍による閉塞感と育児への不安が要因の一つになっていると指摘されています。

まず、児童虐待問題の深刻さを相談件数だけで計ることはできません。もう随分も前になりますが、日本政府が児童虐待の統計をとり始めた時、件数が多い地域が最も深刻だと語られていたのを思い起こします。

例えば、新聞の見出しで〝大阪の相談件数が最多〟と、いかにも最も悪いように報じられていましたが、冷静に考えると、全く反対の意味にもとれます。大阪は児童虐待を最もよく把握できていた、ということです。おそらく、優れた児童相談所が最も多い地域であり、児童虐待に関する意識啓発と教育ができていたのではないでしょうか。

相談件数が多いというのは、それだけ虐待についての意識が高いということです。件数がほとんどない地域ほど、むしろ危ない。子どもたちが直面する家庭内暴力のリスクが、住んでいる地域によって変わるとは考えにくいからです。

日本はとても特殊です。〝わが国には、なぜ児童虐待が存在しないのか〟といった議論が行われた極めてまれな国だからです。1980年代、日本の専門家は、健康保険制度や学校教育、警察などのシステムによって、日本には児童虐待問題がほとんど存在しないと語っていました。ところが、問題が〝発見〟され始めると、一種のパニック状態になりました。私の予測では、児童虐待は常に同じレベルで存在していて、変化したのは周囲の意識だけだったはずです。

2020年度の相談件数が20万件だけだったと、私はむしろ驚いています。前年度より5・8パーセント増加していますが、19年度は18年度より21・2パーセント増加しています。コロナ禍という危機的状況を鑑(かんが)みれば、もっと増加していても不思議ではなかったはずです。

もちろん一件一件の相談、児童虐待の問題そのものはとても悲しいことです。しかし相談件数が増えていることは、問題を把握できているということであり、日本にとっては前向きなことだと私は考えます。

今年（2021年）8月、大阪府摂津市で、3歳の男の子が虐待死するという極めて痛ましい事件がありました。こうした悲劇が教訓となって、児童虐待への意識がさらに高まり、今後も相談件数は増えていくのではないでしょうか。

――英国も同じような傾向にありますか。

英国はじめ欧米と日本では、問題を把握し対応していくシステムが違うため、単純に比較するのは難しい。大きな相違点は、児童虐待に特化した専門家の人数でしょう。日本の児童相談所に勤めている人の多くは、（専門の訓練を受けた）児童福祉司ではありません。私が日本の児童相談所で研究を進めていた時、そこで働く児童福祉司に話を聞くと、一人で100件以上の相談を担当していました。

一方、英国では、一人の児童福祉司が担当する相談は15件から20件です。しかも長年、経過を観察し続けるのです。責任の所在も、その児童福祉司にあります。

日本では一人当たりの件数が多く、行政や地域間の連携もうまくいかず、責任の所在がはっきりしない場合があるのではないでしょうか。

もう一つの違いは、歴史の長さでしょう。英国は1950年代から児童虐待の問題に取り組んできました。日本は、90年代に入るまでは、児童虐待に対する意識があまりなかったわけですから、まだまだ歴史が浅いといえます。

日本の最大の資源

――日本では「こども庁」の2023年度設置を目指して調整が進められています。英国では、子どもに関する政策は一元管理されているのでしょうか。

英国では２００７年、「子ども・学校・家庭省」が設置されました。福祉と教育を別々に考えるのではなく、子どもに関する政策を一つの省で担当すべきだという発想からです。現在は「教育省」になりましたが、基本的には、同省が子どもの福祉政策を管轄し、20歳以上の福祉については「労働・年金省」の仕事です。

これは、児童虐待問題を含む子どもの福祉政策は、教育政策と同じように重要だという問題意識の表れといえます。子どもの福祉と教育を別々に考えるのは非常に危険です。つまり、児童相談所や養護施設などの福祉施設と、教育機関の両方が、同じ行政機関で調査・管轄されることが重要なのです。

なぜなら、対象とする子どもたちは、同一の子どもたちだからです。同じ大人たちが、同じ子どもたちを守るために施策を考え、実行していくことが大事なポイントです。違う大人たちが対応すると、教育と福祉の政策を一体化させるのが困難になります。

――教授は編著『若者問題の社会学』（井本由紀監訳・西川美樹訳、明石書店）**の最終章で、「日本は若者以外に天然資源をほとんどもたない国であり、人口が高齢化し縮小すればするほど、若者が幸福な状態であることの重要性もますます高まってくる」と記されています。**

私が日本の青少年について最も心配しているのは、家庭や地域から疎外されてしまうことです。日本の福祉政策は、「個人」よりも「家庭」をどう支えるかに力点が置かれている。家庭や地域を大事にするという概念に縛られ過ぎています。

例えば、家族を持たず、就職もままならないような人は、セーフティーネット（安全網）から漏れてしまいます。その最たる例が、児童養護施設を出た若者たちです。

彼ら、彼女らは、18歳でいきなり社会の荒波にさらされます。一般の若者は、20代まで家庭にいて、多くが大学卒業の学位を得て社会に出ます。これは決定的な違いです。養護施設を出た若者たちが、社会での安定した足場、良好な人間関係を築けずに、やがて、その子どもたちも養護施設に入るという、「負の連鎖」が起きています。
日本の福祉システムは、いい地域に住み、いい家庭に恵まれれば、より多くの恩恵を受けられるように見えます。しかし、その両方に恵まれない人は、恩恵を受けにくい。こうした社会の底辺にいる最も脆弱な人々、セーフティーネットから除外されそうな子どもたち、若者たちへの支援こそ最も必要です。

――創価学会の淵源は、小学校の校長だった初代会長の牧口常三郎先生が、〝教育の最大の目的は、子どもの幸福である〟との信念で「創価教育」を創始したことにあります。これまで第３代会長の池田先生は、「社会のための教育」ではなく、「教育のための社会」の実現を主張し、生命尊厳の仏法を基調とした平和・文化・教育の運動を世界で展開してきました。

非常に興味深い視点です。「社会のための教育」とは、社会の一員として何をなすべきかを教えるのに対し、「教育のための社会」とは、若者たち一人一人の可能性の開花に主眼を置くものと言えるのではないでしょうか。育った環境によって社会での立場が決まり、限界が定められてしまうような教育ではなく、一人一人に生きる力と自信を与える教育という意味では、私は全面的に賛同します。

教育こそ最も重要な聖業です。特に、人材以外の天然資源が少ない日本にとってはなおさらです。若者が加速度を増して少なくなっている今だからこそ、教育に最大限の投資を行うべきです。

最も苦しむ人々が幸福になってこそ、社会全体が幸福になるというのが、私の考えです。したがって、最も弱い立場にある若者への支援こそ、何よりも優先されるべき課題ではないでしょうか。だからこそ、子どもや若者たち一人一人を守るために、彼ら、彼女らに関わる政策が一元管理されていくことが重要なのです。

日本の初等教育のレベルは世界最高峰です。幼児教育の質も素晴らしい。システムから脱落していく子どもたちをどう守るかが、今後ますます大切になってきます。

2021年10月8日付掲載

新型コロナの感染拡大を抑えるために

免疫学の第一人者である宮坂名誉教授は、ワクチン接種が可能、かつ接種を希望する人については「打たないという選択肢はない」と、接種のメリットを語る。

宮坂昌之

大阪大学名誉教授

みやさか・まさゆき　大阪大学免疫学フロンティア研究センター招へい教授。1947年、長野県上田市生まれ。京都大学医学部卒業、オーストラリア国立大学大学院博士課程修了。医学博士。東京都臨床医学総合研究所等を経て、大阪大学医学部教授、同大学大学院医学系研究科教授を歴任。2007年～08年に日本免疫学会会長。著書に『免疫力を強くする　最新科学が語るワクチンと免疫のしくみ』『新型コロナ7つの謎　最新免疫学からわかった病原体の正体』『新型コロナワクチン本当の「真実」』『新型コロナの不安に答える』など。

高い有効性・安全性

——近著『新型コロナワクチン　本当の「真実」』（講談社）には、ご自身が本年（2021年）、ワクチン接種を受けようと決断するに至った経緯が書かれています。今と違い、昨年（2020年）の時点ではワクチン接種に慎重な意見をお持ちだったそうですが……。

もちろん、接種の判断は一人一人の自由です。それを前提とした個人的な見解では、接種が可能ならば「打たないという選択肢はない」と、今は思っています。しかし、昨年までは、必ずしもそうではありませんでした。

私は、いくつかの著作で、今、接種が進んでいる「mRNAワクチン（※注1）」というタイプのワクチンについて書きました。新型コロナウイルスに対しても、こうしたワクチンが強力な武器になりうると予想していました。

ただ、mRNAワクチンはコロナ禍の前から「がんワクチン」などとして研究されていましたが、臨床試験（治験）があまり進んでいなかった。また、エボラ出血熱などに対してもワクチンが使われていたものの、何十万人という単位でのデータはありませんでした。したがって、新型コロナワクチンがどれだけ有効でどれだけ副反応が出るのか、当初は予測するのが難しかったのです。

昨年11月にはファイザー社やモデルナ社から、ワクチン有効率（※注２）が90％を超えたという、臨床試験の結果が発表されました。インフルエンザ向けワクチンの有効率が40～60％程度なので、これは驚異的な数字です。

しかしながら、その時点で「安全性」についての具体的なデータは、まだ十分でないように感じました。それで私は、「接種については慎重に考えたい」という意見を述べていたのです。

――しかし、その後、意見を大きく変えられます。

今年に入ってから、米国のＣＤＣ（疾病対策センター）が、約２３００万人に及ぶコロナワクチン接種者の副反応データの分析結果を公表しました。「重篤な副反応の頻度は、従来のワクチンと同等」という結果でした。つまり、コロナワクチンが他のワクチンよりも危険ということはないと。

90％を超える驚くべき有効性があり、「感染予防」「発症予防」「重症化予防」の三つの働きが、そろって非常に高い。加えて「安全性」も明らかになったことで、私は「打たない選択はない」と確信するに至ったのです。

短期間での進展

——コロナワクチンは短期間で開発が進み、人類が経験したことのない規模で実用化されました。その中では、何かと「リスク」ばかりが強調されがちですが、日本での接種は今、累計回数で世界第5位となっています。

日本の接種の進み方は、予想をはるかに超える、順調な伸び方です。

今年の5月、政府が「1日に100万回」との目標を示した時、私は、それはとてもできないだろう、そこまで行くにはかなり時間がかかるだろうと思いました。ところが関係者の皆さんが、やりましょうということで立ち上がって、力を合わせた。

私も今、大阪市での接種をお手伝いしています。接種を担う医師や看護師、役所の方々、アルバイトの皆さん――ものすごく大きなチームが一丸となって、熱心に動いています。接種に関わり始めた当初、短期間でこれほどのチームの動きができるのかと、感動しました。デジタル化の遅れなどの課題もありますが、ワクチン接種の実施という点では、見事な進展だと思っています。

また、私は、海外からのワクチン確保・供給が、そんなにスムーズに進むはずはないと思っていました。昨年の感染拡大の当初、ヨーロッパやアメリカには、人口比で見ると日本の50倍から１００倍にも及ぶ新規感染者がおり、そうした地域のワクチンの必要度が非常に高いと思われたからです。また、世界的なパンデミックで、どの国も有効率の高いワクチンを使いたいのは同じですから、ワクチンが日本に来るのが多少遅れてもやむを得ない状況でした。

免疫が働く仕組み

――コロナワクチンの有効性の高さは、どんな仕組みで実現されているのですか。

ワクチンは、人の免疫に病原体の情報を覚え込ませておいて、実際に病原体が体内に侵入した時、その外敵から体を守る効果を発揮させるものです。

私たちの免疫は「自然免疫」と「獲得免疫」の二段構えの機構になっています。「自然免疫」は、体内に入ってきた多様な病原体に素早く反応します。一方の「獲得免疫」は体内に入った病原体の特徴を〝記憶〟することができ、その病原体が再び体内に侵入してきた時、強く反応し、より多くの抗体（ウイルスなどの異物を体内から排除するタンパク質）や免疫細胞を作って体を守ります。

コロナのmRNAワクチンは、コロナウイルスの遺伝子（RNA）の一部だけを体の中に送り込んで働かせ、あたかもウイルスそのものの感染があったような反応を起こして、自然免疫・獲得免疫を活性化させる仕組みです。このワクチンには、実用化に当たって、多くの工夫がされています。

例えば、ワクチンに含まれるコロナウイルスRNAを脂質の膜（まく）で包み、「脂質ナノ粒子」と呼ばれる形にしたことも、素晴らしい工夫の一つです。自然免疫に関わる細胞の一つで、獲得免疫を働かせる鍵となる「樹状細胞」や、獲得免疫の主役となる「リンパ球」は、「リンパ節」というところに集中して存在しています。脂質ナノ粒子は、そのリンパ節につながる「リンパ管」に入り込みやすいという特徴があります。

インフルエンザのワクチンなどは「水溶性」であり、筋肉注射すると、その箇所から全身に散らばっていきます。そのため、リンパ節に入っていく量は、どうしても少なくなります。しかし、コロナのｍＲＮＡワクチンは、脂質ナノ粒子の形にしているため、血管に入りにくく、選択的にリンパ管に入り込むのです。そのため、ワクチンが直接的に、〝免疫の砦（とりで）〟であるリンパ節に運び込まれ、非常に効果的に、強い免疫反応が起きるようになるのです。

——ワクチンは人体にとって「異物」ですが、そうしたワクチンと免疫の関係は、仏教でいう「縁」と「因」の関係を想起させます。ワクチンが「縁」となり、人体が本来持つ力を引き出してくれるというイメージで……。

まさに、そう考えていいと思います。私たちは、もともとコロナウイルスにも反応する力を持っていますが、その力は、そんなに大きくない。そして、非常に大きな個人差もあります。しかし、ワクチンは、もともと人が持っている〝戦う力〟を十倍、百倍、千倍にしてくれる。そうして接種を受けた多くの人が、異物に対抗する大きな力を持てるようになる——そういうことだと思います。

その上で、例えば「おたふくかぜ」のワクチンの効果が続くのは20年から30年ほど。破傷風、はしかなどは、効果が50年くらい続きます。ところが、インフルエンザはワクチンを打っても4カ月ほどで効果が半減します。つまり、ワクチンの中には、免疫を長期間、持続させてくれるものと、そうでないものがある。

これは、ワクチンが悪いのではありません。病気またウイルスの中に、長期の免疫を付与するものと、そうでないものがあるのです。

その違いの原因については残念ながら、まだメカニズムがよく分かっていません。免疫学者も、答えを見つけられないでいるのです。この問題を解決できたら、ノーベル賞ものだと思います。

ブレイクスルー感染

――宮坂名誉教授は「変異株」に対するワクチンの有効性についても、繰り返し語られています。

変異といっても、その遺伝子の変化は非常に小さく、ワクチン接種による発症予防効果は依然、かなり大きいと言えます。その上で、感染者の保有するウイルス量が多くなる「デルタ株」の登場で、ワクチンの効果が少し下がりつつあることは事実です。ワクチン接種者が感染する、いわゆる「ブレイクスルー感染」もあります。

ただし、例えばイギリスのデータを見ると、ファイザー社・モデルナ社のmRNAワクチン、またアストラゼネカ社のウイルスベクターワクチン（※注3）ともデルタ株によって有効率が少し下がっていますが、重症化率はどちらも10分の1ほどに抑えられています。また、ブレイクスルー感染による感染者は、ワクチン接種者の中の割合で見ると、非常に少ないです。

では、なぜワクチン接種者が感染するのか。

一つは、社会に飛び交うウイルス量が変異株によって増えたこと、またワクチンの防御力が、何でも完全に防げるようなものではなかったことが考えられます。

社会のウイルスの量を雨に例えるなら、私たちは当初、ワクチンを2回打った人というのは、どんな雨にもぬれない「厚い鎧」をまとったくらいの防御力を得ると思っていました。しかし、実際にワクチンで得られるのは、「厚い鎧」ではなく「トレンチコート」「レインコート」くらいの防御力だった。

すると、ある程度の雨を防ぐことはできても、世間にまだワクチン未接種者が多く、変異株によってウイルスの量も増えると、その「土砂降りの雨」は防ぐことができず、ぬれてしまう。つまり、感染してしまう人も出てくる。他国の例を見ると、ワクチン接種率が6割くらいの状況で、マスク着用などの社会的制限を解除してしまえば、やはりブレイクスルー感染は増えるようです。

一方、ワクチンを接種していない人は「裸」の状態といえますので、たとえ雨が少量だったとしても、当然ながらぬれてしまうことになる。やはり、ワクチンは接種した方がよいわけです。

日本では、海外ほどブレイクスルー感染が起こっていません。「変異株＝ワクチンの効果が落ちた！」とばかり強調する報道もありますが、マスク着用などの対策を社会的に行っていれば、そうした感染は抑えられるのです。

そうした対策を取りながらワクチン接種を粛々(しゅくしゅく)と進めることで、社会に降るウイルスの「雨」の量を減らせば、トレンチコート・レインコートを着ている人なら基本的には大丈夫ということになるわけです。また、ウイルスの変異は感染者の体内で起こるので、感染者が減れば、新たな変異株が誕生する確率も減ることになります。

誤解を解きたい

――ワクチンについては、玉石混交の情報、悪質なデマ情報も飛び交っています。

最近は、厚生労働省のホームページなども、情報発信の工夫を凝らしていますね。

コロナワクチンのような「ｍＲＮＡワクチン」については、がんワクチンなどの形で開発されてから、すでに10年がたっています。その間に、さまざまな実験も行われており、ワクチンのウイルス遺伝子が子孫に遺伝していかないことや、体内に注射したｍＲＮＡは２日以内に分解されることなどが明確になっています。確かに、コロナワクチンはこの１年で開発されましたが、その基幹的な研究には長い歴史があるのです。

私が本を書いている一番大きな理由は、どうしたらワクチンに対する世間の誤解を解けるか、という思いがあったからです。

〝免疫学の祖〟の一人は、北里柴三郎という人です。つまり、免疫学は日本人によって始まっている面もあるわけです。日本の免疫学は今、世界のトップクラスでしのぎを削っていますが、まだまだ、さまざまな謎（なぞ）が解けていません。日本の若い人にはぜひ、免疫学の分野で、ノーベル賞を受けるくらいの活躍をしてほしいと願っています。

※注1

「メッセンジャー・アール・エヌ・エー・ワクチン」。ウイルス遺伝子（RNA）の一部を含むワクチン。その遺伝情報をもとに体内でウイルスのタンパク質の一部が作られ、これに対して抗体などが産生されることで、ウイルスに対する免疫ができる。

※注2

ワクチンが発症を減少させる割合。「ワクチン有効率＝［1－（接種者罹患率÷非接種者罹患率）］×100」。例えば、接種した100人のうち5人が発病し、接種しなかった100人のうち50人が発病したなら、接種者罹患率5％、非接種者罹患率50％で、有効率は90％。

※注3

病原性のない（コロナとは別の）ウイルスをベクター（運び屋）として利用するワクチン。

※注4

2種類の抗体を組み合わせた薬を投与する治療法。軽症・中等症の治療に用いられ、日本では現在、点滴で投与されている。

2022年8月5日付掲載

新型コロナウイルスのオミクロン株が猛威を振るい、各地で感染者数が過去最多を更新した。宮坂名誉教授に、現在の変異株の特徴や感染を抑えるためにできることなどを再び聞いた。

変異ウイルスの特徴

――国内で新型コロナウイルスの変異株による感染が急増しています。これまでに比べ、現在のウイルスには、どのような特徴があるのか教えてください。

現在流行しているオミクロン株には、免疫回避性といって、私たちの体内の免疫系の働きを逃れる力を持っていることが分かってきました。

ウイルスの表面には、多数の目印があり、私たちの免疫系は、この目印によって「これが異物だ」と見極め、すぐにウイルスの働きを抑える抗体や免疫細胞を作ります。免疫系は通常、こうした目印をすぐに認識するのですが、ウイルスの変異が進むと、免疫系が認識しやすい目印が少しずつ消えていき、このために免疫系が反応しにくくなってきます。だから、前にコロナに感染していても、再びコロナに感染するということが起こっているのです。

こうした変異が起きるのは、免疫系とウイルスが常に戦っているからです。目印が減ったウイルスが生き残り、広がっていくので、結果として免疫回避性のものが増えていくのです。日本では「BA・5」に続き、「BA・2・75」というオミクロン株の亜系統も広がり始めていますが、今後も、もっと感染力の強いものが出てくるかもしれません。

ワクチンの有効性

――ウイルスの変異によって、ワクチンの効果が低下しているとの指摘がありますが。

確かに、ワクチンを打っても、作られる抗体の量が時間とともに減るだけでなく、その効き方が減ってきています。現状のワクチンは接種し、体内に免疫ができても、それが一生涯にわたって続くのではなく、その効果が時間とともに下がります。さらに、ウイルスも目印の少ない方に変異しているので、抗体が効きにくくなっているのです。

ただし、ワクチン接種によってできる抗体の方が、自然感染によってできる抗体より強く、変異ウイルスに対して高い防御力を持ち、重症化を防ぐことができます。また、ウイルスの目印が少なくなったとはいえ、残っているものもあるので、ワクチンを追加接種して免疫系を活性化させておけば、その少ない目印に気付いて、これに反応する抗体や免疫細胞が新たにできてきます。つまり、追加接種をすると、弱りつつあるワクチン効果が強くなるのです。

東京都のデータでは、ワクチンを2回打つよりも3回打った方が中和抗体価が上がり、2回の接種だと7カ月で100（AU／mL）を切るのですが、3回接種では7カ月後でも1000程度を保つなど、その効果が持続することが分かっています。1000くらいの値であれば、十分に感染防御に働きます。したがってオミクロンに対しては2回ではなく、3回接種しておかないといけません。

では、4回打つと、どうなるか。まだ60～70代しかデータがありませんが、接種後に今までに見られなかったほど高い抗体価が得られています。3回接種で7カ月続いているので、4回接種だと効果はもっと長く続くことが期待できます。

ですので、現状のオミクロン株に対しては、3回接種以上、特に高齢者の場合は免疫が落ちやすいということを考えると4回接種が勧められます。

その上で免疫の働きは、抗体だけではないということを知ることも大切です。

免疫機構は総合力

――具体的には、どういうことでしょうか。

私たちの身体には、大きく分けて自然免疫と獲得免疫という二つの免疫機構があります。自然免疫とは、私たちが生まれつき、誰しもが持っているもので、獲得免疫とは、生後に獲得するものです。

その上で、私たちがワクチンを接種すると、最初に活性化されるのが自然免疫で、血液の中でウイルスや細菌を食べる食細胞などの働きを強くします。これは新型コロナだけでなく、ほかのウイルスや細菌の増殖も抑えます。

その後に起きるのが、コロナだけに働く獲得免疫を介した反応です。中でも、ヘルパーT細胞は、獲得免疫の司令塔のような存在で、この細胞がB細胞に指令を出すと、B細胞が抗体を作って、細胞の外にいるウイルスの働きを止めてくれます。一方で、ヘルパーT細胞は、感染した細胞をウイルスごと殺すキラーT細胞も活性化させます。こうした自然免疫・獲得免疫の両方が働くことで、ウイルスが排除されるのです。

その上で大事なことは、

①自然免疫だけでも一定程度、ウイルスを抑える

②B細胞が作る抗体には、ウイルスを細胞内に入れないようにする働きがあり、初期防御に重要

③T細胞の働きが重症化阻害に重要――ということです。

実は、ワクチンは、こうした免疫全体の力を大きく高める効果があるので、抗体価だけを見て、それだけでワクチンの効果を判断することはできません。

感染対策の効果は掛け算

――私たちの感染対策はこれまで同様、ワクチン接種に加え、マスク着用や3密回避といったことに変わりはないのでしょうか。

ウイルスが変異したとはいえ、相変わらず飛沫による感染が主なので、基本的対策は変わらず、むしろもっと気を付けて取り組まなければいけなくなったとも言えます。

というのは免疫回避性が強まったことで、たとえワクチンを打っていても、ウイルスを大量に浴びれば、重症化はしなくても、感染することがあるからです。さらに、感染性も上がっているので、これまで以上に微小な飛沫、空間を漂うようなエアロゾルでも感染しやすくなっています。

ただし、感染が成立するためには、おそらく何千というウイルス粒子を吸い込むことが必要で、吸い込む数を10個や１００個といった一定数以下に抑えれば、感染しません。特にマイクロ飛沫には、そこに含まれるウイルス量も少ないわけですから、これまでの感染対策に加え、送風・換気をしっかりと行えば、感染するリスクも減らせます。

その上で、これからは「感染対策は、重ねるほど強い効果を引き出せる」という考えを持つことが大切だと思います。

一例として、次にそれぞれの対策による感染リスク低減の度合いを数字で示しました。

これまでは、人と会った際、双方がマスクを着用すると、感染リスクは約10分の１になるといわれてきました。

感染対策は重ねることで強い効果を引き出すことができる

以下の数字が正しいものかは別として、例として挙げる

- 双方のマスク着用で、感染リスクが約 10 分の1
- 双方が対人距離を保つことで、感染リスクが約2分の1
- 室内では送風・換気をすると、感染リスクが約2分の1
- 双方のワクチン接種で、感染リスクが約5分の1

これらの対策を全て行う人のリスク減少の程度は、掛け算となる
(1/10) × (1/2) × (1/2) × (1/5) = (1/200)

→何も対策を講じない人に比べ、
約 200 分の1 となる可能性がある

次に、対人距離を保つこと。これは何メートル離れるかで実際の数字は異なりますが、２メートル以上離れたら、２分の１になったとします。また、送風・換気をすると感染リスクが約２分の１、双方がワクチン接種を受けることで約５分の１となると仮定します。

ここで挙げた数字が厳密に正確であるかは別にして、大事なことは、これら四つの対策を、お互いに独立の事項なので、全て行えば、その効果は掛け算となるということです。つまり何も対策を講じない人に比べ、ウイルスを吸い込む量が２００分の１になる可能性があるということです。

もし、これら全ての対策が完璧にできなくても、重ねるほど高い防御効果を獲得できるので、

たとえオミクロンのような感染性の高いものでも防げる可能性が出てくるのです。

基本を知る大切さ

――ウイルスが変異するたびに、さまざまなデマが出てきますが、宮坂名誉教授は、そうした背景には、どのようなものがあるとお考えですか。

多くの場合は、データを読み間違え、誤解しています。例えば、ワクチンを打つと、卵巣にワクチンが分布するというデータがあります。これは人間で使う量の約500倍を動物に投与した時のものです。実際に人間に打つワクチンは微量ですが、それだとどこに分布するのか見えないので、わざとたくさん入れ、分布を見やすくしているのです。確かに、卵巣にも一時的には入りますが、濃度はすぐに下がり、動物実験でもワクチン投与後に機能的な影響は見られていません。しかし、卵巣にたまったということだけに固執する人たちは、絶対に悪いことをするはずだと間違えてしまうのです。

それだけの量を打てば、普段起こらないことは、いくらでも起こります。

例えば、コーヒーも1日に数杯なら問題ありませんが、100杯も飲めば命に関わります。だからカフェインは劇薬に指定されています。これはワクチンも同じです。量を間違えたらダメです。こうした実験は、あくまで安全性や分布を調べるためなのですが、多くの誤解は、そうした知識を持たないことから生まれています。

一方で、私は、全員が全てに関して深い知識を持つ必要はないと思っています。病原体の場合には、どのような経路で侵入し、どのような条件で感染が成立し、身を守るためには何が必要か、といった基本的なことだけを理解すればいいのです。そうすれば、誤ったメッセージに惑わされることが少なくなります。また、疑わしい情報に触れた時は、周囲の友人などと意見を交わす場を持つことも大事でしょう。

〝まだ戦いは続く〟との認識で

――コロナ収束に向け、またサル痘などの新たな感染症に備えて、どのような心構えが必要でしょうか。

英医学誌ランセットで本年（2022年）6月、新型コロナの抗体の陽性率から世界各国の感染率を推測したデータが掲載されました。これによれば、昨年（２０２１年）11月までの段階で、世界の約半数（43・9パーセント）の方が少なくとも1回は感染していたとのことです。また、論文発表時点で、感染による死者数は５００万人程度とされてきましたが、こうした統計を踏まえると、実際には１５００万人以上がコロナで亡くなっていた可能性があります。

つまり、新型コロナの感染は、予想をはるかに超えて世界中に広がっているのです。そして、パンデミック（世界的大流行）はまだ続いています。日本だけが守られるという可能性は少なそうです。日本が収束しても、世界ではまだコロナとの戦いは続くでしょう。

加えて、絶対に甘く見ないことが大切です。

よく「コロナにかかっても、インフルエンザ程度だ」と楽観視する人がいます。確かに、若い人たちでは致死率や重症化率は下がりました。しかし、一方で感染率が上がり、今までの何倍も感染者が増え、それに応じた数の重症者や死者が出ています。高齢者におけるオミクロンの致死率は今でもインフルエンザよりも高いです。また「ウイルスは弱毒化していく」ともいわれますが、こうした弱毒化は10～20年の単位で見られる現象です。むしろ、当面はウイルスが私たちの免疫をすり抜けるようになり、より厄介なものが残りつつあります。

その事実のもとに、ここからはむしろ〝完全に元の世界に戻ることはない〟という認識のもと、何が起きても大丈夫な体制を構築することを考えるべきです。私たちが実行できるニューノーマル（新常態）をつくっていかなければなりません。こうした考え方は、新たな感染症が来た時にも、とても重要だと思います。

日常的に対策重ねるニューノーマルを

――ニューノーマルとは、どのようなものですか。

感染症との戦いは特別なものではなく、むしろ日常のこと、という前提で、行動していくことです。

日本では今、行動制限をかけずにオミクロンに対応しようとしています。行動制限によって感染を一時的に抑えても、解除すればすぐに再拡大します。経済も同時に動かしていく必要があることから、このやり方自体は仕方ないと思います。この点、大事なのは、感染が広がるのは個人を介してである、ということです。厳しい一律の行動制限をかけない以上、一人一人が先ほどの掛け算のような考え方のもとで、これまで以上に感染リスクを低減する行動を心掛けることが求められています。

その上で、今後は人に言われてからではなく、自らが感染対策を重ねることによって感染リスクを下げていくことが大事です。

このウイルスは、私たちが予想するよりもずっと賢く、変異して、どんどん感染を広げていきます。その中では、特定の人だけが守られるということはありませんし、やはり、みんなで抑えないといけません。重症化しやすい高齢者や、さまざまな理由でワクチンを打てない方など、一人でも多くの人を守るためにも、一人一人が「自分さえよければいい」ということではなく、周囲を思う利他的な心を持って生きていきたいものです。

2022年7月16日付掲載

多様な人との関係性が人生を強く豊かにする

東アフリカ・タンザニアの商人を調査してきた小川教授。不安定で不確実な日常を切り抜ける人々の暮らしには、コロナ禍を生きるヒントがあった。

小川さやか

立命館大学教授

おがわ・さやか
1978年、愛知県生まれ。専門は文化人類学、アフリカ研究。京都大学大学院アジア・アフリカ地域研究研究科博士課程単位取得退学。博士(地域研究)。日本学術振興会特別研究員、国立民族学博物館研究戦略センター機関研究員、同センター助教、立命館大学大学院先端総合学術研究科准教授を経て、現在、同研究科教授。『都市を生きぬくための狡知』で2011年サントリー学芸賞(社会・風俗部門)、『チョンキンマンションのボスは知っている』で第8回河合隼雄学芸賞、第51回大宅壮一ノンフィクション賞を受賞。その他の著書に『「その日暮らし」の人類学』がある。

タンザニアの商人

――小川教授は2001年から、タンザニアに通って商人たちの参与観察をしてこられました。タンザニアの人々は、コロナ禍にどのように向き合っているのでしょうか。

コロナ禍で起こった変化の一つが、ある種の働き方の転換だと思います。日本でも、宿泊客が激減したホテルの客室をテレワークのために貸し出すなど、これまではなかった異業種間の連携が増えました。ビジネスを柔軟に転換するよう迫られた結果、新しいネットワークへと視野を広げた。それが、事業が生き延びるために大切だという理解が広まったと思います。

一方で、こうした多様なネットワークを、もともと持っているのがタンザニアの人たちです。私は、タンザニア北西部の都市ムワンザで、マチンガ（※注）と呼ばれる「零細商人」を調査対象にしてきました。ビニールシートで野菜や果物を売る人、簡素な露店で日用雑貨を販売する人、車の部品やおもちゃを携えて路地を練り歩く人など、零細な商業活動を展開する人たちです。

彼らは、基本的に「その日暮らし」です。商品がたくさん売れる日もあれば、全然売れない日もある。それでも複数のビジネスを展開し、新しい仕事もすぐに始めるので、「一つ失敗しても、他の何かで食いつなぐ」「まずは試しにやってみて、ダメなら止める」といった生計多様化戦略で、毎日を切り抜けています。

私たちはコロナ禍で、仕事を維持したり、働き方を変えたりすることに頭を悩ませてきたわけですが、タンザニアの人々にとってはそれが日常なのですね。だからコロナ禍のような危機にも、これまでと変わらず対応していました。

草の根のビジネス

――毎日が〝綱渡り〟である彼らにとっては、コロナ禍でも、生き方が変わらないのですね。

そうなんです。私の友人はコロナ禍で、警備会社をつくると言いだしました。不安な社会で泥棒も増えるから、警備会社はもうかるだろう、と。それでも急に正規の会社をつくるのは難しいので、まずはインフォーマルにやるわけです。どこかの警備会社の制服を写真で撮って、同じ色のシャツを買い、ワッペンを付ければ完成です（笑い）。
それを、仕立屋の友人に頼んで数十着ほど用意して、コロナ禍で職にあぶれた若者たちに着させ、お店や家の留守を預かる警備員として派遣する。そしてお金をもらうという商売を、２週間ほどで始めていました。

いくら社会が物騒（ぶっそう）になっても、正規の警備会社と契約を結ぶ資金は、ほとんどの住民にありません。でも考えてみれば、泥棒には、警備員が本物か偽物かの区別はつきにくいですよね。必要な時に数時間だけ店や家を守るのであれば、インフォーマルな警備で事足りるわけです。

そうしてあっという間に草の根のビジネスを始めてしまうのが、面白いし、たくましいなと思います。

思い返せば、私がムワンザで調査していた時に、コレラが流行しました。タンザニア政府の指示で、路上の総菜売りや料理屋はお店を閉鎖しなければなりません。そこで彼らが何をしたかというと、それまでの〝ツケ〟を回収するんです。

零細商人たちは普段から、困っている人がいればお金を貸したり、食べ物を振る舞ったりします。それを、いざ自分が非常事態に陥ったときに思い出すんですね。そして、〝私は今、ピンチなんだ〟〝助けてくれ〟と言って、ツケの回収に動いて回る。そうして手に入れたお金で、髪結いやサンダル売りなど別の小商いを立ち上げ、コレラが収束してお店を再開するまでの間を食いつないでいました。

貯金は友人の所に

――小川教授が発信してこられた商人たちの暮らしは、文化や風土がかけ離れた日本でも、大きな注目を浴びています。先行きが不透明な時代だからこそ、彼らの生き方に学ぶ人が多いのだと思います。

商人たちに、「あなたの貯金はどこにあるの」と聞くと、銀行ではなく「友人のところにある」と皆が言います。友人を助けたり、お金を貸したりしたことが、いつか自分を助けてくれる〝人生の保険〟だと捉えているんです。

一方で彼らは、貸したお金は〝返ってこないこともある〟と分かっています。相手の商売が、うまくいくかどうかは不確実ですから。お金を貸すときは、ほとんど〝あげる〟感覚に近いので、いつ誰に、いくら貸したかは覚えていない。

でもある日、道でばったり会うわけです。そこで、「実は今、私のほうが困っていて……」

と切り出すと、今度は自分が助けてもらえたりする。
もちろん、偶然の出会いがなかったり、相手がまだ困窮(こんきゅう)していたりすることもありますが、そうした関係性を異なるたくさんのタイプの人と結んでいれば、どこかで誰かが花開いている可能性は高いんですね。

――貸しのある仲間を増やしていくことが、人生の保険を増やしていく、と。

そうですね。そしてお金を貸すということは、彼らにとって「時間を与える」ことなのだとも思います。商売でもうけて、人生を挽回させるまでの時間とチャンスを与えているということです。ツケを取り立てに行く側も同様で、今度は自分がピンチだからこそ、そうした時間やチャンスを返してほしいわけですね。
「その日暮らし」の不安定な生活なのに、すぐに他者に分け与えてしまう彼らの生き方は、人生を生き延びるチャンスを、互いに贈り合っている生き方なのだと思います。こうした〝チャンスの恩〟〝チャンスの負債〟を互いに抱えているからこそ、自分が追い詰められたときも、生き延びる道が必ずあると皆が確信しています。

「ついで」の論理

――そうした商人たちの暮らしは、「共助」の役割を果たしている側面があるように感じます。

タンザニアには、住民票もなければ戸籍もありません。政府が社会保障を提供しようとしても、現実に、全ての個人に平等に行き渡らせるのは難しい。すると、公的な支援ではない草の根の助け合いが、生き抜くためにはどうしても不可欠となります。

タンザニアのように、社会保障が十分に整っていない国では、社会ネットワークに依存した「共助」が、庶民の知恵から育(はぐく)まれていくのではないでしょうか。

大事なのは「無理なく」助け合っていることです。

何かを贈られたり、助けてもらったりした場合、それによって負い目を感じるのが一般的ですよね。ただタンザニアでは、負債を抱えてはそれを返すといった、キャッチボール型のコミュニケーションは成り立たない。それでも負い目を感じないために、商人たちが生み出したシステムが「無理なく」「気軽な」助け合いなのだと思います。

例えば、道で偶然、困っている人に出会えば助けるが、出会わなければそれっきり。食事の時間に居合わせれば、おごることもあるが、わざわざ気に掛けて誘うようなことはしない。あるいは、案内してほしいという場所が目的地への通り道であれば、連れて行く。

このように、何かのついでにできることなら、気軽に引き受ける一方で、無理だと思う相談は軽やかに受け流してしまう。その際に大事なのは、多様な人に賭けるということ。

そんな「ついで」の論理によって、助けられる側には過度な負い目が発生せず、助ける側も、即時的な返礼を気にしないでいられます。彼らの、賢い知恵ですね。

ついでの親切を提供し続けることで、誰とでも気軽につながり合っていける。だからこそピンチを切り抜けられる。そんな彼らの暮らしには、貧しくとも「ゆとり」を感じます。

社会に対する信頼

――誰かが必ず助けてくれるという人への信頼が、そうしたゆとりの源ではないでしょうか。誰も置き去りにすることなく、苦しむ人に手を差し伸べる実践を、創価学会も大切にしています。

その点、タンザニアの人々は、特定の個人を信頼しているというよりも、集合体としての社会に信頼を置いています。「私があなたを助けたら、誰かが私を助けてくれる」というように。特定の一人を〝絶対に助けてくれる存在〟として頼ったら、リスクが高いですよね。そうではなく、もっといろいろな人に身を委ねていく「人間多様化戦略」を、彼らは採用しているんです。

面白いのはマチンガが、相手に対する貸し借りを少し残そうとすることです。貸したお金の全てを取り立てようとはしない。あえて全てを清算しないことで、これまでのような多様な関係性が継続されていくからです。貸し借りの清算のために人間関係を利用するのではなく、豊かな人間関係を築くこと自体を、第一の目的にしているんですね。

タンザニアでは、こうした贈与関係が草の根で展開されていて、「他者を助けることができる人は必ずいる」ことを、皆がよく分かっています。

でも日本では、〝助ける側〟になることが難しい側面がありますよね。困った人に手を差し伸べることは〝お節介ではないか〟〝同情だと思われないか〟と考えてしまいがちです。

だからこそ、そうした助け合いを仲介する場があると良い。その一つが宗教であると私は思います。知人や隣人に「助けて」と言えなくても、信仰でつながったコミュニティーだからこそ、駆け込めるときがあるのではないでしょうか。

「柔らかなつながり」を結び気負わず誰とでも助け合う

――つながりを断たず、いろいろな人とつながり続けることで、社会への信頼を築き、安心を心に育んでいけるのですね。タンザニアの人々の生き方に、私たちが学ぶべきことは何でしょうか。

苦手だなと思う人も含めて、普通の暮らしでは、あまり関わらないような人とも、ほんの少しの〝貸し借り〟の関係性を、築いていけたらいいのかなと思います。

近年、お歳暮やお中元、年賀状といった儀礼的なかたちでの交流は減っていますよね。一方で、自分や親しい人への贈与は増えているといわれます。人間関係が、狭く、強固になっている時代であると思います。

もちろん日常的には、気心知れた親しい人たちを、大事に思うのは当然です。でもコロナ禍で、異業種間の連携によって危機を切り抜けた人が多くいるように、突発的な事態において助けになるのは、普段は身近にいない人たちであったりします。自分とは縁遠い人であればあるほど、斬新なアイデアが得られたり、想定外の支援が得られたりするからです。

その意味で、そうした「柔らかなつながり」を、あまり重くない、気軽なかたちで、普段から保ち続けていくことが大切ではないでしょうか。

私たちの社会では、業績や能力が、均一的な物差しで測られ、同じ1時間の労働には同じ給料が支払われたりします。でもこれは、時に私たちの時間感覚とは異なります。体調が悪くて仕事が全然はかどらない時もあれば、逆に絶好調で、いつもの3倍くらいの勢いで仕事を片付けられる時もあるからです。

人にはそれぞれ、谷間もあれば晴れの日もある。そういう変動を織り込んで、タンザニアの人たちは暮らしています。同じ商品であっても、谷間にいる人には安く売ったり、うまくいっている人には高く売ったりするように。

もちろんこれは、インフォーマルな商売だからこそ可能なのですが、他者の必要性やリスクを敏感に察知する生き方には、学ぶ点もあると思います。

タンザニアの商人は、多くの人々と緩やかにつながり、他者の多様性が生み出す「偶発的な応答」に、自分の可能性を賭けることで生きています。これは、コロナ禍のように、流動的で不確実な時代における合理的な戦略だともいえます。

多様な人間関係の中で、リスクすらも背負い合いながら、他者の存在に身を委ねてみる。おおらかで、大胆なそんな生き方に、豊かさも楽しみもあることを、タンザニアの人々は教えてくれます。

※注

英語の「marching（行進する）」と「guy（男性）」を合わせた造語。もともとは「男性の行商人」を指していたが、現在は、零細商人の総称として使われる。

2022年10月21・22日付掲載

弱者を助ける社会から弱者を生まない社会へ

近年、社会を覆ってきた漠然とした不安や閉塞感。その根源にあるものと向き合い、解決への手を打つことがポストコロナの日本に大切であると、井手教授は語る。

井手英策

慶應義塾大学教授

いで・えいさく
1972年、福岡県久留米市生まれ。東京大学大学院経済学研究科博士課程修了。日本銀行金融研究所、東北学院大学、横浜国立大学を経て、現在、慶應義塾大学経済学部教授。専門は財政社会学。著書に『どうせ社会は変えられないなんてだれが言った?』『欲望の経済を終わらせる』『いまこそ税と社会保障の話をしよう!』『幸福の増税論』『ふつうに生きるって何?』『18歳からの格差論』ほか多数。最新著は『10歳から使ってほしい みんなのお金とサービス大事典』。2015年大佛次郎論壇賞、2016年度慶應義塾賞を受賞。

日本に共通の「将来不安」

――「生きづらさ」という言葉を多く見かけるようになりました。漠然と感じていても、それを明確な形で言葉に表すことができない人も多いのではないでしょうか。

生きづらさには、２種類あると思います。一人一人が個別に抱えている生きづらさと、この社会が共有している生きづらさです。「多様な生きづらさ」と「共通の生きづらさ」と言えるかもしれません。私は学者ですので、普遍性を探究する形で、後者の「共通の生きづらさ」から始めたいと思います。

現代の日本に共通の生きづらさは、一言でいえば「将来不安」です。

日本は、１９９７年で勤労者世帯の実収入が頭打ちとなり、今もそれを越えられていません。実収入が３００万円未満の世帯が全体の３割、４００万円未満が５割弱を占めます。これらの数字は、平成元年度の割合とほぼ同じです。

大切なのは、現在は、共稼ぎの世帯が圧倒的に多いということ。つまり、二人で働くようになったのに、世帯所得が約30年前と同じ水準だということです。

この間、自己責任が問われる社会になりました。日本は、現役世代への暮らしの保障が弱い。医療や子どもの教育、家の購入にかかる費用、老後の備えなどは、「自分の貯金でなんとかする」ことが前提になっています。

高度経済成長期のように、「頑張れば報われる」「明日は今日より豊かだ」と皆が思えた時代であれば、自己責任でも良かったでしょう。もちろん当時も、低所得者層、働けない人、障がいのある人など、自分の力だけでは生きていけない人はいたわけですが、社会全体で、そうした人々を支える余裕がありました。

では、日本で低成長が続く今、大勢の人たちが果たして自己責任で生きていけるのか。貯蓄（ちょちく）するのが難しいのに、貯蓄しないと生きていけない現実がある。ゴールも解決方法も見えません。これが、大きな将来不安となって共有されていると思うのです。

だから、親を介護するのも、子どもを何人つくるかというのも、全てを経済的なコストを踏まえて考えてしまう。愛や慈（いつく）しみの対象である人の存在が、重荷に感じられてしまう。そんな生きづらさの根源にある問題を解決したいと思っています。

救われる側は「負い目」を感じる
――井手教授の発信からは、「社会を変える」という強い思いが感じられます。

それには私の生い立ちが影響していると思います。

私は、母とその妹である叔母との3人の家庭で育ちました。2人は私に恥ずかしい思いをさせまいと頑張ってくれましたが、小さな借家住まいの極貧生活でした。窓ガラスが割れた浴室には隙間風が吹きました。それでもほかの部屋よりは寒くないからと、ぬるま湯につかってぶるぶる震えながら本を読む。それが私の少年時代でした。

家のために叔母が働き、母も店をやって、私を大学にまで行かせてくれました。しかし、1990年代初頭にバブル経済が崩壊した後は、借金が雪だるま式に増えていきました。

学生生活を支えてくれた母と叔母には、感謝の言葉しかありません。ただ私は、卒業して会社勤めをせず、大学院に行きたいと母に打ち明けました。貧しかったのに、です。電話越しの母は10秒くらい、沈黙しました。そして一言、「あんたのよかごつせんね(自由にしなさい)」と言ってくれました。全てをのみ込んでくれたのです。

借金は、母の友人が、私にお金を工面してくれたことで清算できました。そんな、私と家族の命の恩人に対して、私は感謝するどころか、心ない言葉をぶつけてしまいました。申し訳なくて、今でも夢にうなされます。

なぜ、そんなことをしてしまったのか。確かに、人を助けるのはいいことです。わが家も、母の友人の善意に救われたのです。それでも、助けられる側には、どうしても負い目が生まれる。心ない言葉も、その恥ずかしさをごまかすためだったのです。

目の前に弱者がいれば、どうやって助けようかと考えることが、これまでの社会で必要とされてきたことでした。しかし、そこから一歩踏み出して、そもそも「弱者を生まない」社会をつくらなければいけないのではないか。その思いが、私の研究の原動力です。

現状肯定という名の諦め

――こうした現代に生きる若者たちの姿について、大学で学生たちと接する中で、どう感じていらっしゃいますか。

生きづらさを実感しているというよりも、多くの識者が指摘するように、現状肯定(こうてい)という名の「諦め」が顕著であるのが、現代の若者の特徴ではないでしょうか。

だから例えば、「あなたは今、満足していますか」と聞けば、若者の生活満足度は、上の世代よりも明らかに高い。所得は低下し、貯蓄は難しくなり、生活不安は高まっているのに、満足度は高い。パラドックス(逆説)です。

なぜ若者が、「諦めて」しまっているのか。

一つの理由は、いい大学に入り、勉強して、いい会社に入れば一生安泰(あんたい)といった、かつての「成功モデル」が破綻(はたん)してしまったからです。今では、どれだけいい大学を卒業し、いい会社に就職しても、将来が安心とは言い切れません。どこに向かって、どのように生きればいいのかが見通せない時代を、現代の若者は生きています。

もう一つの理由は、子どもが「投資の対象」になってしまったことです。所得の低下とともに、子どもの数を限る世帯が増え、親たちは、一人や二人しかいない子どもに、ありとあらゆるエネルギーと財力をつぎ込むようになりました。

投資には、必ずリターンを求めます。せっかく学校に行かせたのに、新しいことに挑戦させせて失敗するようなリスクは、取りたくない。親たちも、学校も、子どもたちに挑戦や冒険をさせなくなります。すると子どもたちは、挑戦の仕方を知らないまま、反抗期も経験したことのないような大人になるわけです。そうすると、現実の競争社会にいきなり直面する。そこで心が折れてしまう若者も多くいます。

苦労も喜びも分かち合う世の中を

――自分の環境を「変えられる」とは思えない。そんな無力感が社会に広がっている状況を、どのように打開すべきでしょうか。

内閣府のある調査によると、暮らしの水準がどれくらいかを聞いたとき、回答者の93パーセントが「中流」、4パーセントが「下流」と答えています。明らかに格差が広がり、相対的貧困率も十数パーセントの日本では、理屈で考えても、十数パーセントは「貧困層」のはずであるにもかかわらずです。また、別の国際調査では、自分は「中の下」だと考えている人が、突出して高い国が日本でした。

自分は「中の下」、つまり、ギリギリのところで踏ん張っていると信じたい人が、大勢いるのですね。そのため、「生活が苦しい人を助けますよ」といっても、社会の大勢の人々は振り向いてくれません。

そうではなく、中間層も含めて、「みんなが助かる」ビジョンを描くことが大切なんです。みんなが助かる世の中は、当然、弱い立場に置かれた人たちも助かる世の中になっていく。そういうふうに発想を切り替えないといけない。

かつては、大半の人が自分の力で生きられる中、一部の人が苦しんでいた時代でした。しかし今では、苦しむ人が多い時代です。困っている人を助けようというだけの考え方は、説得力がなくなっている。「苦しみをいかに分かち合うか」という考えに、シフトすべきだと思うのです。

——この観点から、井手教授が提唱しているのが、「ベーシックサービス」という考え方ですね。

ベーシックサービスは、医療や介護、教育、障がい者福祉など、人間が生きていく上で不可欠な基本的サービスを無償化する政策です。最大の特徴は、サービスは必要な人しか使わないので財源を大幅に抑えられる点です。病気でなければ病院には行きませんよね。

もう1点、ベーシックサービスは、民主主義を促進する政策です。サービスといっても、何を無償化するのか。何から始めるのか。どの税金でまかなうのか。ありとあらゆる点を議論してこそ、ベーシックサービスは成り立つのです。

その意味で、医療、介護、教育、障がい者福祉などを無償化するベーシックサービスは、みんなが納税者になり、みんなが受益者になる、「痛みも喜びも分かち合う」社会を実現する構想でもあります。

誰もが安心して生きられる社会

――「ベーシックサービス」の理念が実現した先に広がる、社会の展望について教えてください。

哲学者のハンナ・アーレントは、人間が労働するのは、生きるために必要だからだと述べています。生きるため、暮らしていくために必要だからこそ、長時間の労働を強いられてしまう。そうした生存生活の必要から解き放たれることが、人間が真に自由でいられる条件だというのが、アーレントの訴えでした。

実際に、非人間的な労働環境を、喜んで受け入れる人は少ないはずです。にもかかわらず、日本人の多くは、長時間労働やサービス残業をしています。本当はやりたくないような仕事に、従事している人もいるでしょう。なぜでしょうか。

それは、生きるための必要から解放されていないからですね。医療や介護、教育などにかかる費用を捻出するために、失業することも、給与水準を下げてしまうことも許されない。私が構想しているのは、そうした生きるための必要から人間が解き放たれ、みんなが安心して生きていける社会です。

ただ、必要なサービスを人々に無償で提供したとしても、高齢者やシングルマザー、障がいのある人たちといった、収入の少ない人や働くことのできない人の命を守ることは、別の問題として解決されなければいけません。

私はそれを、食料や衣類、光熱費など、生きていくためにどうしても必要な生活扶助や住宅手当として、ベーシックサービスとは別で提供するよう提案しています。生活扶助の充実、失業給付の適用範囲の拡大、住宅手当の創設を通して、いわば「品位ある命の保障」をするというものです。

「ベーシックサービス」と「品位ある命の保障」を両輪として、誰もが安心して生きられるようになります。病気をしても、失業をしても、長生きによってお金がかさんでも、自分の力だけで何とかしなくていい。企業の言いなりにならずに定時に帰れるようになれば、家族との時間が増え、一緒に家で食事をしたり、趣味や地域活動に参加する時間もできたりします。

もちろん私は、経済成長も競争も否定しません。お金持ちを目指すのも自由ですが、一方で、過度な経済成長に依存しなくても生きられる社会を目指す必要がある。選択肢が与えられることが、決定的に重要だということです。

いい大学や会社に入ることだけが〝勝ち組〟であれば、生き方が強制される。就職活動をしない自由、都会だけでなく自分に合った好きな場所で暮らす自由なども、数ある選択肢として人生に広がっていく。そうした社会を実現したいと思っています。

多様性の対極に「普遍性」を置く

――生き方の選択肢が増えることは、人々が持つ多様な価値観が尊重されていくということでもあります。

その通りだと思います。ただ、私が気を付けているのは、多様性を尊重するのも一つの価値であり、押し付けになってはいけないということです。特に近年は、ＳＤＧｓ（持続可能な開発目標）の実現を目指す流れの中でも多様性がうたわれますが、「みんな同じでなくていい」ということは、ともすれば社会が断片化され、分断を加速させることにつながりかねないと危惧しています。

大事なのは、多様性の対極に「普遍性」をきちんと置くことです。最近、知り合いの創価学会員の方から薦めていただき、池田名誉会長の『法華経の智慧』を読み深めていますが、その中に「一乗」（※注）という言葉がありました。さまざまな教えを仏が説いた真意は、全ての人を幸福へと導く「一乗」を説くことにあった、と。

それは、普遍性ですよね。こうした普遍性という基盤があってこそ、個々の幸福という多様性を追求することが、可能になるのではないでしょうか。

学会員の皆さんにとっての普遍性が、全ての人を幸福へと導く「一乗」であるならば、財政学者である私にとっての普遍性が、「ベーシックサービス」の思想なのです。

みんなで税金を払い、みんなで恩恵を受ける。痛みも喜びも、分かち合う。誰も排除することなく、全ての人々を包摂していくという普遍性です。

その意味で、ベーシックサービスは、偉大な「社会の共同事業」であると言えるかもしれません。そうした条件を整えることによって、他方で、本来、多様であるはずの人間が、事実として多様な生き方を選び取れるようになる。それぞれが抱える生きづらさに、向き合っていくことができると思うのです。

地域をつなぐ「接着剤」の存在

――個別具体的な「多様な生きづらさ」に向き合う上で、何が大切でしょうか。

強調しなくてはならないのは、ベーシックサービスのような普遍的な保障が行われたからといって、一人一人が抱えている生きづらさや苦しさの改善を、個人任せにする社会であってはいけないということです。

だからこそ、仕組みや制度を通じて、一人一人の痛みを緩和（かんわ）していくことが大切になります。

私が重要視しているのは「ソーシャルワーク」です。各人が抱えている生きづらさには、背景が無数にある。ソーシャルワークとは、それぞれが抱えている生きづらさを改善するために、周囲の人たちや問題の背景に、アプローチしていく仕事のことです。

例えば不登校に苦しむ子どもがいて、その原因に親のネグレクト（育児放棄）があったとします。その親がなぜネグレクトするのか、親のどんな状況がネグレクトを生んでいるかという点までアプローチすることが欠かせません。その場合、家庭の貧困、介護の負担、夫婦間の不和、身体的な不調など、思い浮かぶ理由は無数にあります。

とはいっても、学校の先生やカウンセラー、あるいは児童相談所や児童養護施設等の専門員が、家庭の中に入り込んで問題を見極めるのは、相当困難なことです。

しかし一方で、その家族の近隣に住む人たちは、「あそこのお子さん、いつも傷んだ靴をはいているな」とか、「あの家から、時々、大きな声が聞こえてくるな」といった、とても細かい様子を知っていたりするわけですね。そういうところから、家庭の中の問題が掘り起こされていきます。

学校や専門家に、そうした情報がきちんと届けば、問題の根っこにアプローチするきっかけも生まれてくると思います。

ここから見て取れるのは、「どこかの機関の誰かが責任を持つ」というアプローチでは、問題の根本的な解決には至らないということです。そして同時に、地域に埋もれているさまざまな情報を、必要な行政組織や制度につないでいく「接着剤」のような役割を果たす人たちの、重要性が浮かび上がります。人的、制度的な資源をつなぎ合わせて、個人の問題にアプローチしていくのがソーシャルワークなのです。

ただ私は、ソーシャルワークをただ仕事という位置付けに限定するのではなく、もっと広い意味で捉えるべきだと考えています。人々が横につながり合い、互いが互いをケアし、何かあった時には「あそこの○○さんが」といった情報が共有されていく――そうした地域をつくる活動も、ソーシャルワークそのものだと思うのです。

いわば、地域の課題や住民の困りごとを解決する力を、みんなで育んでいく営みとも言えます。学会員の皆さんが日頃から実践されている活動にも、きっとこうした意義があるのではないでしょうか。

願わくは、そうした活動を宗教の内側にとどめてしまうのではなく、皆さんのネットワークで拾い上げた地域の課題を、行政や専門家にも届けていただきたいと思っています。

また、地域に根差した政治という面から、公明党にも頑張ってもらいたい。人々が抱えている問題を具体的に解決してこそ、「一人の声を聴く」公明党の真価が発揮されるのではないでしょうか。
自分の周りの人たちだけではなく、みんなが幸せになる社会を目指していく。だからこそ、制度につなげていくべきなのです。学会の皆さんが掲げてきた、全ての人のためとの普遍的な理念を、常に大切にしてほしいと思っています。

「人道的競争」の思想に共感

――〝人間は「人と人の間」に生きる存在である〟――これも、アーレントが強調した点でした。創価学会の社会的使命も、「苦も楽も共に」という仏法思想を根本として、身近な場所から社会を良い方向に向けていく実践にあります。

自分自身の生き方を絶えず内面的に問い返し、生きる力を引き出していく宗教的実践には、大きな価値があると思います。一方で、みんなが「自分」だけを突き詰めていけば社会が分断されてしまうからこそ、その対極に、世界平和や万人の幸福といった「普遍性」を常に掲げていくことが、大切になると思います。

私にとってのその普遍性は、ベーシックサービスという社会的な挑戦です。それは、人間が人間らしく生きられるための土台であるとも言えます。そうした土台があってこそ、生きる意味は何なのかといった根源的な問いに対する旅が始まる。

その旅の土台を、税金による財源を活用してつくりあげていく——それが私の提案です。税金の投入には反対だという声も、少なくないかもしれません。それでも私が税金の活用を訴えるのは、痛みを分かち合い、喜びを分かち合うことそれ自体が、人間の本質だと考えるからです。

背中を押されたような気がしたのは、牧口初代会長の、「その目的を利己主義にのみ置かずして、自己と共に他の生活をも保護し、増進せしめんとするにあり」という言葉を読んだ時でした。牧口会長が、これを「人道的競争」と呼ばれたことに、とても感銘を受けました。

自己の喜びと他者の喜びを、調和させる力。苦しみを分かち合っていく同苦の力。それが他の動物にはない、人間が人間たるゆえんであると私は思います。

人は誰もが、自分自身の価値を追求していく存在です。その一方で、他者の幸せを考えることで、自分の幸せもより深く豊かなものになっていく。それが可能となる社会の土台をつくる力が、人間にはある。

その意味で私は、人間にとっての希望は、人間それ自体にあると言いたい。未来の希望は、私たち一人一人であると信じているんです。

※注

成仏のための唯一の教えの意で、全ての者が成仏できるという法華経の教えのこと。

第4章

複合危機——人類の針路

平和と生命の尊厳が脅かされる今こそ池田・トインビー対談に学びたい

今、平和と生命の尊厳性を揺るがす危機を前に、私たちはどのように問題に向き合い、解決への方途を探っていけばよいのか。佐藤氏は、池田大作SGI会長とトインビー博士の対談集『21世紀への対話』を、危機の時代に読むべき一書であると語る。

佐藤 優

作家

さとう・まさる
1960年東京都生まれ。同志社大学大学院神学研究科修了後、専門職員として外務省に入省。在イギリス大使館勤務、在ロシア大使館勤務を経て、外務省国際情報局で主任分析官として活躍。『国家の罠』(毎日出版文化賞特別賞)、『自壊する帝国』(新潮ドキュメント賞、大宅壮一ノンフィクション賞)、『十五の夏』(梅棹忠夫・山と探検文学賞)、『地球時代の哲学　池田・トインビー対談を読み解く』『池田大作研究　世界宗教への道を追う』『21世紀の宗教革命Ⅱ――小説「新・人間革命」を読む』など著書多数。新刊に『プーチンの野望』(潮出版社)。

民衆の視点から

――新型コロナのパンデミック（世界的大流行）や気候変動、ウクライナ情勢など、今、私たちが向き合う危機は、複雑かつ多面的です。これらの危機と向き合う上で、見失ってはならない点は何でしょうか。

端的に言えば、現在の危機の本質として「心の危機」があると思います。

例えば、ウクライナ戦争が始まってから、コロナ禍に対する関心は低くなっていないでしょうか。感染状況が劇的に変化したり、危険性が減少したりしているわけではないのに、皮膚感覚として関心が低くなっている。インターネット空間における「コロナ」「肺炎」といった言葉は減っているでしょうし、新聞やテレビでもコロナに割かれる時間は少なくなりました。それは、心のありようが、コロナ禍からウクライナ戦争に対するものへと変化しているからです。

ウクライナ戦争を巡る、事実と虚偽が入り交じったようなメディアの情報に常にさらされる中で、多くの人々がある種の熱気に包まれ、戦争を助長してしまうような風潮が、しばしば見受けられます。なぜ、こうした風潮が出てくるかというと、これも心が揺れ動いているからですね。

こうした中で創価学会は、小説『人間革命』の「戦争ほど、残酷なものはない。戦争ほど、悲惨なものはない」という立場を貫いています。特に戦争が始まった直後の3月1日、青年部が声明を発表し、「戦闘によって多くの人々の生命と尊厳と生活が脅かされる事態は悲惨であり、私たち創価学会青年部は即時停戦を求める」「どこまでも対話による外交によって平和回復への道を探る努力を続けるべきである」と世界に向けて発信したことの意義は極めて大きいと言えましょう。

創価学会は、平和を希求する宗教団体として、ウクライナの問題に沈黙することはできない。と同時に、当事者の国々のどちらが良いとか悪いといった二分法をとらず、そこにいる民衆の立場から即時停戦を求めている。ウクライナの国民が直面している被害の大きさに胸を痛めるとともに、ロシアの多くの市民を取り巻く状況にも目を向ける、学会だからこその判断であったと評価します。

ぶれずに平和の旗を掲げることと、常に民衆の視点から考えること。これらは創価学会員の心の強さを表しています。心の場所は座標軸には示せないですが、しかし確実に存在する。この心の問題を深く考察してきたのが、仏教の強さですね。聖教新聞の「危機の時代を生きる」

の連載にしても、「心の危機」に焦点が当たっている。ですから学会員の方々は、危機の本質は心にあることを見抜いているのだと思います。

国家主義の克服

――先月（2022年5月）は、池田先生とトインビー博士が初めて対話を行ってから50周年の節目でした。佐藤さんが対談集を読み解いた『地球時代の哲学』（潮出版社）では、現代の危機の時代を乗り越えるための処方箋が、池田・トインビー対談にあることを示されています。

対談が行われた50年前もまた、人類の破滅をもたらす核戦争や環境問題等をどうしたら克服することができるか、そうした危機に直面した時代でした。対談集のタイトルは『21世紀への対話』、英語版は『Choose Life』――すなわち「命を選ぶ」ということですね。戦争ではなく、生命を選択しなくてはならない。これが二人に共通の思いであったということです。

生命を語るとき、人間の生命だけではなく、動物、植物を含めた地球生態系を考えることが重要です。そのあらゆる生命を、戦争は奪う。近年、SDGs（持続可能な開発目標）関連の気候変動対策で脱炭素の推進をうたっていますが、そもそも戦争ほど炭素をばらまく行為はないわけです。昨今、大きな波で広がってきた環境運動においても、戦争と環境を巡るまなざしをもつことが欠かせないと、強く感じてなりません。

その中で、現実にどう平和を実現していくのか。難題ですが、答えのない課題ではありません。池田SGI会長の著作や指導の中に、危機を克服するために重要なことが書かれています。例えば、人間と人間、人間と自然の共生について考える上では、ウクライナ国立キエフ工科大学元総長の、ズグロフスキー博士との対談集『平和の朝へ　教育の大光』（第三文明社）が参考になります。

そして、池田・トインビー対談も、私たちがナショナリズム（国家主義）をいかに克服するかを学ぶために、今、改めてしっかりと学ぶべき一書です。今、ウクライナ戦争を前に、ナショナリズムが急激に息を吹き返している。池田会長は対談で、自らの基準を他者に押し付けるような、排外主義的ナショナリズムを退けています。

池田会長がナショナリズムに警鐘を鳴らすのは、創価学会が、神道とナショナリズムが結び付いた国家神道によって、弾圧された歴史があるからです。

牧口初代会長、戸田第2代会長は、戦時中、政府による国家神道（しんとう）の強制に抵抗し、宗教弾圧にも屈しなかった。自らの信念を貫いたがゆえに投獄され、牧口会長は殉教し、戸田会長は獄中で法華経を身読し、「仏とは生命なり」「われ地涌の菩薩なり」という真理を覚知したわけです。

　こうした歴史の鋳型があるゆえに、創価学会には、排外主義的なナショナリズムの悪を浄化し、平和を創り出す力があるのです。

　重要なのは、牧口会長と戸田会長が、単に反軍国主義や反戦運動の旗を掲げていたわけではないということです。国民が間違えた道に進んでいるとき、自分だけが正しい道を歩んでも、社会から遊離し、孤立してしまえば使命は果たせない。それは本当の意味で、民衆のためにはならない。

　誤った道を行く人々を見放してしまうのではなく、歩みの向き、角度を5度でもいいから変えることができないか。その努力と変革を36回繰り返せば、合わせて１８０度になる。人々が時流に押し流されず、反対方向に踏み出す道が開かれるはずだ――。牧口会長、戸田会長は、こうした方向転換を目指していったのだと思います。

宗教的対話の書

――国家神道を巡っては、池田先生とトインビー博士が互いの考察を述べる場面が印象的です。

当初、私はこの対談を「東西の偉大な知識人の対談」と捉えていました。しかし、それは誤読でした。これは「仏法の信念に基づいた、人類の未来を何としても開こうとする〝真摯な対話の書〟」、ある箇所では「宗教的対話の書」ともなっていることに気付いたんです。

対談の中の、国家神道を巡るやりとりにも、それが表れています。トインビー博士は、国家神道の問題は「元来自然の諸々の力の象徴とされていた神々が、今度は人間の諸制度の象徴としてかつぎ出され」たという、どの自然宗教にも当てはまる普遍的な事象として理解しています。それに対し、池田会長は、真の問題の所在は別のところにあるのではないかとして、こう主張します。

「神道にはきわめてナショナリスティックな一面があるわけです。そして、この神道イデオロギーの端的なあらわれが、いわゆる神国思想なるものでした。この神国思想は、周知のように、きわめて独善的なものです。こうしてみると、神道の場合、自然に対する融和性はその一面にすぎず、その裏面に、他民族に対する閉鎖性や排他性をもっているわけです」

戦時下の日本の例からも、宗教がナショナリズムと結び付いてしまえば、取り返しのつかない全体主義が生まれます。その危険性は、現在の世界においても、さまざまな宗教が真剣に向き合わなければならない課題です。

また対談で、池田会長とトインビー博士は、「生命の尊厳」についても掘り下げ、議論します。

〈池田〉「生命の尊厳に至上の価値をおくことを、普遍的な価値基準としなければならないと考えます。つまり、生命は尊厳なものであり、それ以上の価値はありえないという考え方です。宗教的にも、社会的にも、それ以上の価値を他に設定することは、結局、人間性への圧迫をもたらすことになるでしょう」

〈トインビー〉「おっしゃる通り、生命の尊厳こそ普遍的、かつ絶対的な基準です。ただし、この場合、〝生命〟という言葉を、宇宙の万物から分離した、あるいは半ば分離した、われわれ人間をその一種とする〝生物の生命〟というものに限定してはなりません。宇宙全体が、そしてそのなかの万物が、尊厳性を有するという意味で生命的な存在なのです」

このやりとりから浮かび上がってくるように、「生命の尊厳」という創価学会の普遍的な思想が、トインビー博士の根底にある宗教観、生命観と相通じていったと見ることができるのではないでしょうか。

楽観主義を失わず

――対談で、池田先生は生命を尊厳なものであると認識するだけでなく、私たち一人一人の中に潜(ひそ)むナショナリズムを克服し、生命を「尊厳ならしめる」努力が必要であることを強調しています。

その通りです。だからこそ、現在、ウクライナで広がっている戦火を一日も早く終結させなければなりません。にもかかわらず、核戦争の可能性を軽々に口にするような人間がいます。それは非常に危険だと思います。口にすると、人間はいつしか慣れてしまうからです。

その点、創価学会にはぶれがない。核兵器は「絶対悪」であり、使用したものは〝死刑に値する〟との厳しい表現を持って、核の使用を何としても食い止めようとした戸田会長の遺訓を継承しているからです。これは学会員にとって、揺るがすことのできない大前提の思想だと思います。

私たちの限られた知恵では、絶対的な真理は理由を説明できません。なぜ戦争は許されないのか。なぜ核兵器は許されないのか。「許されないから」としか言えないのです。生命の根源に関する事柄においては、理屈や科学では説明しきれないものがあると私は思います。

それを戸田会長は、ギリギリまで詰めて言葉にし、池田会長がそれを継承するのみならず、世界の指導者との対話を通して、現実の上で発展させていった。そして、池田会長の思想と行動を自らの指針・模範とした全世界の学会員によって、ＩＣＡＮ（核兵器廃絶国際キャンペーン）などの良識ある人々と力を合わせて「核兵器禁止条約」を成立させたような、今日までの平和運動の流れが築かれたのです。

ともあれ、どんな状況であったとしても、心は変えられる。人間は変わる可能性があるということです。政治家であろうが、指導者であろうが、誰もが生命の奥底に仏性を具（そな）えていると、日蓮仏法では説きます。外目には悪人のように映る人にも、仏性はある。だから対話を諦（あきら）めてはいけないのです。

この強固な信仰に裏打ちされ、実践に根差した楽観主義を、創価学会の皆さんは持っているはずです。それを失わないことです。

「生命の尊厳」という普遍的価値を世界中に広げる創価学会の挑戦

――21世紀になっていまだに続く悲惨な紛争を前に、私たち自身は何を心掛けるべきでしょうか。

知らないうちに世界を分断してしまうような思考や発言には、自己抑制を働かせることが重要です。

では、私たちは何の側に立つのか。「平和の側」に立つことです。人間の命が懸かっている問題なのだから、一日も早い停戦を願う――それが「平和の側に立つ」ということです。助けられる命を助ける競争を、国も団体もすべきです。

かつて戦争で死闘を繰り返した国同士が、今、信頼関係で結ばれているように、指導者や国民の心のありようは、必ず変わる。

目の前に分厚い壁があるとき、社会革命家は「壁を壊そう」という発想になる。しかし人間革命を目指す人は、「壁の向こうに友人がいる」と思えるんですね。多くの人が壁を壊そうと考える中で、壁の向こうにいるのも自分と同じ人間であり、人間は必ず変われるという確信が、学会員の方々の根っこにあります。池田会長も、ソ連（当時）や中国に友人として行き、対話の力で民間外交を繰り広げていきました。その行動に、今こそ学ぶべきです。

移ろいやすい人の心に、「戦争ほど、残酷なものはない。戦争ほど、悲惨なものはない」という変わらない価値観、心のありようをつくり出していく。これが創価学会の挑戦だと思います。学会員に限らず、世界宗教を信じる人の中には、その挑戦に呼応する人たちはたくさんいることを知ってください。

創価学会が一貫して唱えてきた、地球民族主義や平和の文化といった理念は、今、時代の熱気の中で、一見すると少数派に思えるかもしれません。しかし実際は、平和を望む人たちのほうが多数派なのです。民族や国境を超え、手を握り合っていきたいと願う人たちが、世界中にいることを私は信じて疑いません。

平和行動の原点

──「平和を願う人たちこそ多数派である」と語っていただきました。佐藤さんご自身が戦争に反対し、平和のために行動される原点を教えてください。

私の母は14歳で沖縄戦を体験しました。1945年の、おそらく7月のことです。17人で壕に入り、トイレや炊事の際は交代で外に出るわけですが、もし米兵に見つかったら、自決するか別の場所に行くという約束だった。しかしある日本兵が、見つかったにもかかわらず壕に戻ってきてしまった。自動小銃を持った米兵もいて、もう一人の通訳兵が「出てきなさい」と告げました。

その時、母は壕の中で手りゅう弾の安全ピンを抜きました。壁にたたきつければ、3秒から5秒で破裂します。しかし一瞬、手が動かなかった。その間、1秒は過ぎていたけども、2秒はなかったと言っていました。その時、隣にいた伍長が、「死ぬのは捕虜になってからでもできる。ここは生き残るんだ」と言って、両手を上げたんです。

母から何度も聞いたこの話は、私の記憶にこびりついています。彼女の中には、もし、手りゅう弾を壁にたたきつけていたら、自分だけでなく16人の命を巻き添えにしていたという思いが、残り続けた。だから母親も私も、戦争は絶対にだめだという、強い信念を持つようになりました。

指導者や外交官らが、国同士の関係性で戦争を考えるのが「エリートの思想」であるとすれば、戦争に巻き込まれたらどうなるかと思いをはせるのが、「民衆の思想」です。この視点を、宗教人は持たねばならないと強く思うわけです。

良き市民として

——世界がいかなる危機に直面したとしても、人々に希望の灯をともし続けるのが、信仰者の使命であると実感します。

昨年（2021年）、創価学会がそれまでの「SGI憲章」を発展させた「社会憲章」の前文に、「我ら、創価学会は、『世界市民の理念』『積極的寛容の精神』『人間の尊厳の尊重』を高く掲げる。

そして、非暴力と〝平和の文化〟に立脚し、人類が直面する脅威に挑みゆくことを決意し」とあります。また、それに続く「目的及び行動規範」の5番目には、「創価学会は、各地の文化・風習、各組織の主体性を尊重する。各組織はそれぞれの国、または地域の法令を遵守して活動を推進し、良き市民として社会に貢献する」と。

どの国や地域にもそれぞれの法令があり、良き市民としては、それを遵守しなくてはなりません。そうした異なる環境の中で、自他共の幸福を目指す生き方を希求している。そのときに、深い次元で分かち合う倫理的・道徳的な行動の規範を、学会員一人一人は持っているわけです。

池田ＳＧＩ会長がたびたび紹介する偉人に、オーストリアの作家シュテファン・ツヴァイクと、フランスの作家ロマン・ロランがいます。第1次世界大戦で両国は交戦国だったわけですが、この二人は戦時中に、スイスで対面しています。握手こそしませんでしたが、会って言葉を交わしたことは、戦争の終結に向けた知識人の動きとして、非常に重要であったと思います。

現代の世界においても、その一人と一人の人間のつながりが、大切になっています。どれだけ危機が深まっても、互いの国の違いを超えて、友情や信頼を育んできた一人一人の姿を思い浮かべる。そのことは、池田会長をはじめ、学会の皆さんが実践されてきたことではないでしょうか。

真剣勝負の対話

——池田先生とトインビー博士の対談を巡る話でも、対話の力こそが大切であることを語っていただきました。

トインビー博士との対談は池田会長にとって、世界の知性との本格的な語らいのスタートになりました。そこで私が連想するのが、小説『新・人間革命』第１巻の冒頭、山本伸一が初の海外指導へと出発する場面です。

伸一は、「世界へ征くんだ」との戸田会長の遺言を刻んで旅立ちます。「征」という字には、戦いへ向かうという思いが込められていますね。戦いであり、折伏です。１９５７年、若き日の池田会長が無実の罪で投獄された「大阪事件」において、大阪へと向かう伸一に、戸田会長が掛けた言葉も「大きな苦難が待ち構えているが、伸一、征って来なさい！」でした。

ウンベルト・エーコは『永遠のファシズム』で、差異を見つけて差別するのが人間の地であり、それがファシズムの根源であると言っています。そして、その危険性を指摘し続けなければ、また新たなファシズムが生まれる、と。宗教もまた、常に自身の「内なる悪」と戦う宗教でなければ、誤った方向に流されていくのです。

そういった観点からも、池田会長とトインビー博士の対話は、予定調和の、なあなあの対談ではなく、知の巨人同士の真剣勝負でした。お互いに違う考えがありますね、それには触れないでおきましょう――ではなく、神道に対する理解といった根幹に関わる部分では、池田会長は、はっきりと自身の見解を伝え、その問題の所在を明らかにしたのです。

それによってトインビー博士も納得し、一段高い理解へと至る。博士は最後には、〝未来をつくる宗教こそが必要です〟といった結論に行き着くわけです。

学会員の姿は「生きた宗教」の証し

――佐藤さんは学会の特徴の一つとして、「倫理と行動が分離していないこと」を挙げられています。仏法で人間としての生き方を深め、向上していく「信心即生活」の実践を、私たちは大切にしています。

まさしく創価学会は「生きている宗教」ですね。学会員の方々と話していると、信心が自分の生活で生かされているという実感を、皆が持っていることに気付きます。そして、信心で深めた倫理は、実践してこそ価値があるという感覚を持っている。

だから、困っている人、悩んでいる人がいたら、放っておけないわけです。この〝おせっかい〟が、生きた宗教としての証しでしょう。

それは、生命を抽象的に捉えるのではなく、目の前にある具体的な生命に関わっているということです。それによって、普段、光が当てられない多くの人が救われてきた現実は、一見しただけでは、なかなか認識されないものです。

しかし現実として、もし創価学会がなかったのならば、日本はもっと殺伐(さつばつ)とした社会になっていたに違いないと思います。

同じことが、政治の分野における公明党にも言えます。コロナ禍での対応だけを見ても、今ではワクチン接種が当たり前になっていますが、十分なコロナワクチンの確保へ、分厚い壁を乗り越え、政府を動かして道筋をつけたのは公明党です。あるいは、コロナ禍が深刻化した当初、「1人当たり一律10万円の特別定額給付」が実現した時も、公明党の考えと行動がなければ、一律の給付は到底、実現しなかった。

生命を大切にするという、生きた宗教を基盤とした精神が、政治の現実を通じて現れているのだと思います。これが、確かな価値観に立脚した政党としての公明党の強さでしょう。

90年の歩みに学ぶ

――最後に、今後の学会への期待を教えてください。

以前、学会の四国研修道場（香川県）を訪れました。案内してくれた方が、道場内にある石加工の椅子（いす）を指しながら、かつて池田会長がそこに座って懇談してくれたこと、その椅子を今もきれいに保っていること、そして、会長との出会いはその方の人生を変えたことなどを、うれしそうに語ってくれました。

また当時、道場に置かれていた、1980年に香川から横浜へと学会員を乗せて海を渡った「さんふらわあ7」号のジオラマを見ました。横浜で会員を迎えた池田会長は、ピアノを弾いて激励をされたことも伺いました。

その香川を訪れた1週間後くらいに、横浜に行く機会がありました。そこで、今度は会長が弾いたピアノを見たんです。そこでもまた、神奈川の学会員が、会長との思い出をうれしそうに語るのです。

池田会長という偉大な人格との出会いを巡る物語が会員一人一人の中に生きていて、皆がそれを生き生きと語る様子が、とても印象に残っています。

昨年（２０２１年）、創価学会は御書新版を発刊しました。この御書に基づいて、教学への取り組みを進め、池田会長の思想の到達点から戸田会長、牧口会長の思想と行動について掘り下げていく。そうすれば、そこから仏法の思想と現代の社会との向き合い方に、さらに深みが出ていくのではないでしょうか。

私はプロテスタントのキリスト教徒ですが、創価学会がわずか90年余りの間に成し遂げた世界宗教としての歩みと、その基盤となっている池田会長の思想から、現代の人々が学ぶべきものが多くあると考えています。

2022年3月23日付掲載

ウクライナから逃れた人々に速やかに支援を届ける

"第2次世界大戦後のヨーロッパ最大の人道危機"といわれるウクライナ危機。どんな支援が必要なのか。国内外の緊急人道支援を実施するNGOであるJPFの小美野氏に聞いた。

小美野 剛

NGO「ジャパン・プラットフォーム」前共同代表理事

こみの・たけし　1980年、神奈川県生まれ。これまでアフガニスタン、パキスタン、ミャンマー、タイなどで支援業務に従事。東日本大震災への緊急支援を行うため、「CWS Japan」を設立し、現在、理事兼事務局長。ジャパン・プラットフォーム(JPF)の共同代表理事、アジア防災・災害救援ネットワーク(ADRRN)理事兼事務局長などを務め、国内外の人道支援や防災のネットワーク構築のリーダーシップをとってきた。

流動的な情勢

――「ジャパン・プラットフォーム（ＪＰＦ）」では現在（２０２２年３月）、ウクライナ危機に対して、どんな人道支援を行っていますか。

ウクライナで戦闘が始まった2月24日の翌25日に緊急の初動調査を行うことを決定し、26日にはＪＰＦの加盟ＮＧＯ（非政府組織）のスタッフが隣国ポーランドへ。現地のパートナー団体と協議しながら、支援ニーズの把握を開始しました。現在までに、15のＪＰＦ加盟団体がモルドバ、ポーランド、ルーマニアなどの周辺国で支援に当たっています。

難民・避難民の保護、その上で〝アセス・アンド・デリバー（調査・評価と配布）〟が、人道支援の基本です。

今回の危機では、巨大な人の流れがあり、情勢も刻々と変わっています。戦火から逃れてきた人が一つの地域にとどまらず、違う場所に移っていくことも少なくない。流動的な状況の中で、避難してきた人、また現地で支援する人が今、何を求め、必要としているかを正しく把握することが大切です。

初動対応は、こうした支援ニーズの調査が主な目的ですが、目の前に苦しむ人がいれば、その都度、水や食料、衣服や医薬品等を配布することはもちろんです。

弱い立場の人々

――ウクライナから国外に逃れた人の多くは女性や子ども、高齢者です。どのような支援が求められ、どんな点に留意が必要なのでしょうか。

私たちは今、「保護」の活動を重要な支援として位置づけています。とりわけ、弱い立場にある女性や子どもを、性的搾取や虐待（ぎゃくたい）、ハラスメントから守るという視点が不可欠です。今回の危機においては、教会などの宗教施設が支援の拠点になることもあります。

各NGOは、自然災害も含めた数々の人道危機に際しての支援から、豊富な経験を蓄積してきており、ハラスメント被害を未然に防ぐための方策を備えています。

むろんスタッフ自身の安全確保も重要であり、JPFでは、知識を深めるために以前からセミナーを開催してきました。

平時からの努力

――今回、戦闘が勃発してから、即座に初動を開始したことに敬服します。

ＪＰＦには現在、さまざまな専門性を有する42のＮＧＯが加盟しています。例えば、加盟ＮＧＯであるピースウィンズ・ジャパンは、物資の調達はもとより、国境を越えるための法的手続き、輸送ルートの確保などの知見が豊富で、今回のウクライナ危機でもいち早く支援を届けています。

ピースウィンズ・ジャパンはヘリコプターを使った緊急的な医療物資の供与など、平時から即時対応のためのトレーニングを重ねています。他のＮＧＯも同様に、平時から努力を続けています。

そして、各団体の根底には〝困っている人がいるのに、支援しないのはありえない〟との心意気と、不可能を可能にしてみせるとの〝カルチャー（文化）〟が流れ通っていることを感じます。

だからこそ、緊急時にも素早く対応できるのでしょう。

私たちＪＰＦは、そのような各ＮＧＯを結び、各組織の専門的な知識やノウハウを共有していくことを目指しています。

また、ＪＰＦでは国内外の諸団体と信頼関係を醸成するために、平時からネットワークを大切にしています。現地のどんな組織と協働すれば最も効果的な支援を行えるかを的確に見極めることが、私たちＪＰＦの役割だと考えています。

創価学会とも防災の分野で協力していますが、平時に連携しているからこそ、いざ緊急時に共に支援を行うことが可能になるのだと思います。

心のケアも

――ＪＰＦの発表によると現在は緊急支援の「初動対応」と位置づけられています。小美野さんご自身のアフガニスタンなどでの人道支援の経験を踏まえ、難民を巡る環境やフェーズ（局面）は今後どのように変化し、必要な支援はどう変化していくと想定されるでしょうか。

危機が長期化すればそれだけ苦しい状況が慢性的に続くわけで、精神的な影響は計り知れず、心のケアの必要性が高まっていくでしょう。医師や看護師不足も伝えられます。子どもたちについては、教育を継続して受けられる体制づくり、家族との別れ等に起因するトラウマ（心的外傷）のケアが既に喫緊の課題となっています。

また、仮に早期の停戦が実現し、人々がウクライナに帰還するにしても、荒れ果てた国土の回復という重い課題が残ることが想定されます。ともあれ、この危機が早く終息することを願うとともに、各段階での支援に尽力していきます。

現場主義の支援

――JPFは、NGO、経済界、日本政府が協働し、2000年に発足した緊急人道支援の仕組みです。小美野さんご自身も20年近く援助に従事されてきました。その中で、人道支援活動の分野やそれを取り巻く環境は、どう変化しているでしょうか。

私どもは「ローカライゼーション」と呼んでいますが、近年では現場主義の支援を心掛けています。難民・避難民を実際に保護するのは、外から来た団体ではなく現地の市民やＮＧＯなどです。その事実を忘れてはなりません。そうした方々に敬意を払い、〝一緒に考える姿勢〟があってこそ、現地で必要な事柄を誤りなく把握できると思います。

尊厳を守るために

――先ほど小美野さんが想定として述べられたように、危機の長期化も懸念されます。息の長い支援のために、また、難民の方々の尊厳を守るために、私たちや国際社会は何を大切にしなければならないでしょうか。一般の市民ができる支援はあるのでしょうか。

ＪＰＦとして3月7日には、中長期的な支援策として「ウクライナ人道危機２０２２」支援プログラムを立ち上げました。政府による「ウクライナ及び周辺国における緊急人道支援」の決定を受け、日本の民間支援組織を代表してＪＰＦに約15億円が供与されることになっています。ただし事態の深刻化を受け、より以上の計画も視野に入れ、広く寄付を募(つの)っています。

私たちは現地でキャッシュ（現金）の提供も行っています。苦しんでいる人が、自分の必要なものやサービスを自分でお金を支払って購入する――それが尊厳の確保につながるとも考えています。

難民というと〝かわいそうな人〟というイメージを持たれるかもしれません。しかし、一人一人がさまざまな能力や個性を持ち、さらには将来の夢を抱いて人生を歩んでいます。こうした人々の可能性に敬意を払いながら、支援を進めていくべきではないでしょうか。

とはいえ、私が知る範囲では困難が大変に多いのが実情です。支援とは、難民・避難民の方々が自分の力で人生を切り開いていくお手伝いをすることだと思います。そのために、ＪＰＦは今後も幅広い事業に取り組んでいきます。

2022年3月25日付掲載

世界の避難民は8400万人
ウクライナの人道活動を
打開への糸口に

UNHCRは、現在、ウクライナ国内や周辺国でも各国や市民団体などと協力しながら、避難する人々の保護に当たっている。現地の状況やUNHCRの取り組みについて聞いた。

カレン・ファルカス

UNHCR（国連難民高等弁務官事務所）前駐日代表

Karen Madeleine Farkas
オーストラリア国籍。1982年からUNHCR勤務。スイス本部では監察官、人事管理局長、財務官／財務・総務局長などを歴任。コンゴ民主共和国、イラク、北マケドニア共和国、南アフリカ共和国等で緊急対応などを担当し、2020年から22年11月まで駐日代表を務めた。

多岐にわたる援助

――UNHCR（国連難民高等弁務官事務所）は1994年からウクライナで活動されています。情勢の深刻化を受けて、どのような取り組みをされていますか。

現在ウクライナ国内では116人の職員が支援活動に従事しており、周辺国の事務所とも連携しながら対応に当たっています。

国外へ避難した人が360万人を超える一方、さまざまな理由から国内にとどまり避難している人が650万人おり、1200万人が支援を必要とする状況になると推定されています。UNHCRではウクライナ国内と周辺国で一時的な避難者の受け入れ場所を設置し、毛布や寝袋、防水シート、食料など、命を守るための支援物資を提供しているほか、トラウマ（心的外傷）を抱えた人へのカウンセリングや国際的な保護を求める人への法的な支援相談等も実施しています。

また、避難してきた人の身元や、各人がどこに避難していきたいかを把握することも私たちの重要な活動の一つです。家族がバラバラに避難している事例も少なくありませんので、各受け入れ場所で身元を確認・照合することで家族の再会を後押ししています。国外を目指す人が多い場合には事前に周辺国の事務所などと連携し、受け入れに向けた備えを呼び掛けることもしています。

――物資に加えて、金銭的な支援も開始されるとのことですね。

従来は紛争等で大量の避難者が生まれた場合、いわゆる〝難民キャンプ〟が設けられ、そこに各国政府や諸団体等からの寄付を活用して物資を届けることが一般的でした。しかし近年、都市部へ避難する人が増加し、必ずしもキャンプという形態をとらなくなっており、支援の在り方も変化しています。

避難者が置かれている状況はさまざまで、避難先で親類と暮らしているため生活費はかからないが、子どもの教育費が必要という家庭もあれば、家族がいないので教育費は不要だが住む場所がなく、住居費が必要になるという人もいる。それぞれ必要とするものは異なっています。

もう一つの理由は、多くの避難者が今まさに〝避難している最中である〟ということです。

武力衝突が起きている地域から一刻も早く避難しようという時に、自力で移動しなければならないのに毛布や容器などを持ち運ぶことは大変な負担になります。その点、金銭的な支援は、避難者が必要なものを自ら〝選択する〟ことを可能にし、自立できるという点で「尊厳」を取り戻すことにもつながるのです。

子どもを守る

――ウクライナから避難している人の約９割は女性と子ども、高齢者です。

今回の人道危機で、多くの人が避難者に寄り添い、親切心を持って支援に応じてくださっています。しかし残念ながら、不安定な状況を利用しようとする人も確かに存在しています。私たちは両方の人間がいることに自覚的でなければなりません。

避難している人々は土地勘もなく、国境を越えれば言葉が分からないことも多くあります。その状況を利用して、手助けを装った誘拐（ゆうかい）や人身売買、性的搾取（さくしゅ）が発生することが少なくありません。とりわけ、避難者の中には身寄りのない子どもが多くいます。さまざまな理由で、どうしても自分は逃げられないけれども、せめて子どもだけは安全な場所にという思いで、親が避難させているのです。

そうした子どもたちが被害に遭わないよう、ＵＮＨＣＲとしても避難者の特定と安全の確保に全力を挙げるとともに、周辺国の政府に対して安全な場所の提供や避難者の保護を働き掛けています。

――創価学会としても、先日、人道支援の一環としてＵＮＨＣＲに寄付を行いました。日本各地の市町村などもウクライナからの避難者の受け入れを検討していると報じられています。

最も困難な時にこれまでと変わらず手を差し伸べてくださった創価学会の皆さまに、改めて心から感謝申し上げます。

これまで申し上げたような支援を続けることは、幅広い方々からの支えなしには不可能です。政府をはじめ市町村や企業、団体と日本で支援の輪が広がっていることは大変に心強いことであり、連帯が生まれていることに希望を感じます。

残念ながら、ウクライナの避難者がすぐに元の生活に戻ることは困難な状況にあります。その意味で、現在のような緊急支援のみならず、避難者たちが日常生活を取り戻すことができるよう、教育や言語、健康、就労などの面でも国際社会の幅広い支援が続くよう願っています。

全ての主体に役割

──私たちは難民問題にどのように向かい合っていけばよいでしょうか。

紛争等で避難を余儀なくされた人は近年、増加する一方で、過去10年で倍となり、昨年（2021年）6月時点で8400万人を超えてしまいました。難民として生まれた子どもは過去3年間で100万人に上ります。そうした背景を受けて2018年に国連で採択された「難民に関するグローバル・コンパクト」は、難民問題は特定の地域や政府、国連機関だけでなく、地方自治体や宗教団体を含む市民社会、メディアなど、あらゆる主体にそれぞれの役割があるとうたっています。

一例を挙げれば、創価大学がシリアを含めた難民の学生を受け入れてくださっていることなどは、大変にありがたい取り組みです。

今、難民・避難民が置かれる状況に多くの人が思いを巡らせ、子どものために家を離れ、生活を追われることがどういうことかを身近に感じ、協力しようとしてくださっています。難民問題について身近な人と話したり、日本でも難民が生活していることを学んだりすることを通じて、自分にできる行動を起こす輪が広がることを期待したい。今回の危機が、世界の難民問題を打開する萌芽ともなることを願っています。

2022年4月13日付掲載

危機の克服には長い時間が必要 草の根の支援が大きな力に

1946年の国連総会で創設されて以来、子どもたちの命と未来を守る活動を行ってきたユニセフの、ウクライナ危機における人道支援の取り組みとは。

ロベルト・ベネス

国連児童基金（ユニセフ）東京事務所代表

Roberto Benes
インドネシアやメキシコ事務所、中東・北アフリカ地域事務所での勤務を経て、モンゴル事務所とアルゼンチン事務所の代表を歴任。ユニセフがリードする若者のためのパートナーシップ「ジェネレーション・アンリミテッド（無限の可能性を秘めた世代）」のディレクターを務めた後、2021年4月より現職。

全ての子どもの未来を守る

――ウクライナの子どもの人口は750万人とされますが、そのうち200万人が国外に避難し、250万人が国内で家を離れて避難することを余儀なくされています（2022年3月30日時点）。ユニセフではどのような支援を行っているのでしょうか。

ユニセフは今回の危機が起こる前からウクライナで活動を行っています。

3月時点で同国には約140人の職員に加えて他国からの応援スタッフがおり、事務所を首都のキーウ（キエフ）から西部のリヴィウに移して支援を続けています。国連難民高等弁務官事務所（UNHCR）や市民団体などと協力し、緊急支援として医薬品、医療機器、子ども用冬服、衛生キットなどの物資を届けています。

これらの活動には、多くの支援が必要です。ドナー（寄付者）の皆さま、特に、ウクライナや周辺国の子どもと女性の命を守るための活動を拡大するために、世界的なリーダーシップの模範を示し、ユニセフをご支援くださった日本政府に心より御礼申し上げます。皆さまのご支援に、私個人としても、とても感謝しています。

ウクライナ危機を受けて、ユニセフはあらゆる分野で人道支援を実施してきました。子どもや妊婦を支援するための病院や診療所への医療機器や物資の提供、必要不可欠な栄養物資の調達、新型コロナのワクチン接種の促進、暴力行為によってトラウマ（心的外傷）を負った子どもたちの社会心理的支援、安全な飲料水や衛生キットの配布、保健ケア機関や学校での清潔な水と衛生施設の確保などです。

さらに、移動教育センターを１００カ所設立し、故郷を追われた子どもたちが教育を受け続けられるように支援しています。また、26万５０００世帯の脆弱な家族を対象に現金給付支援も行います。

――子どもたちのケアに当たる上で、何が求められているのでしょうか。

子どもたちの中には、親を失ったり、避難の途上で離れ離れになったりした子がいます。戦闘の悲惨な現場を目の当たりにした子どもも数多くいるのです。そうした、つらく悲しい体験によるトラウマへの対応など、心理的なケアが喫緊の課題です。同時に、遊びや教育の機会を提供し、子どもたちの周りに〝日常〟を少しでも確保していく必要があります。

私たちはUNHCRや周辺国の政府などと連携し、「ブルードット」と呼ばれる子どもたちと家族にとって安全な場所を、周辺国の国境付近に設置しています。ここでは、子どもが安心して休み、遊ぶことができるほか、専門家による心理的なケアや法的な支援・情報の提供や、同伴者のいない子どもや親と離れ離れになった子どもを特定し、保護できるように努めています。既に32カ所で展開しており、今後、規模を拡大していく予定です。

家族の探索も

——ウクライナ国内には、避難できずにいる子どもも多くいると報じられています。


その多くが、障がいのある子どもや、さまざまな事情で親と離れて暮らしていたり、児童養護施設にいたりした子どもたちです。ユニセフでは子どもたちに聞き取りを行い、家族の探索、時には一緒に避難してくれる身内に引き合わせる支援をしています。

一方で、このような複雑な緊急時には、子どもたちが人身売買や児童労働、性的搾取などに遭遇する危険性が非常に高まります。ユニセフは、最優先課題の一つとして注意を払い、子どもたちの保護に努めています。

——教育機会の喪失による影響も大きいと思います。

今の学年で学ぶべき内容を学ばなければ、取り返すことが困難になる場合もあり、教員の方々も懸念しています。

ウクライナ国内では現在までに13の地域でオンラインを活用した遠隔教育が再開しており、ユニセフとしても約1万8000人が避難しているハリコフ市内の地下鉄駅に、アートセラピー（芸術療法）や遊び、読み聞かせ、学習、情緒的支援のための学習教材を備えた「子どもにやさしい空間」を設置。未就学児や子どもたちに学習支援や心のケア支援を提供しています。

——事態の終息が強く望まれるとともに、子どもたちがその後、どのような暮らしをることができるかが大きな課題です。

国外に避難した子どもたちの中には、親を失った子どももいれば、親が他国にとどまる決断をする家庭もあるでしょう。日本の皆さまからのご支援が示してくれたように、困難な状況に置かれた子どもたちと家族に最も良い選択肢を提供するためには、国際社会の協力が不可欠です。暴力を受けたりトラウマを負ったりした子どもたちにとって、この危機を乗り越えるには長い時間がかかるでしょう。

私は2004年のインド洋大津波の際にインドネシアのアチェ州で復興支援に従事しましたが、この災害によって子どもたちが心に負った傷を乗り越えるには何年もの時間を要しました。その意味で、子どもたちに寄り添い、中長期的に支援を続けていくことが大切であると思います。

青年たちの連帯

――私たち一人一人には、どういった貢献ができるでしょうか。

創価学会の皆さんのように、ユニセフの活動を支援してくださることは大きな力になります。

貴会が日頃から草の根のレベルで発信されているメッセージこそ、平和への貢献です。市民といっても、さまざまな職業、能力を持った方々がいます。一人一人が自分にできる支援をすることが大きな力になります。私たちユニセフはＦＢＯ（信仰を基盤とした団体）とも長い協力の歴史がありますが、平和や対話の文化を築くことによって国際機関や行政の支援を補完する力がＦＢＯにはあります。

何より貴会には素晴らしい青年たちの連帯があります。そうした若い人たちとも力を合わせながら、共に世界平和への連帯を広げていきたいと思っています。

2022年6月6・7日付掲載

人道的競争の時代を開く「貢献的人間」の育成を！

先行き不透明な状況が続く時代にあって、創価学会牧口初代会長の思想と行動に何を学ぶべきか。

伊藤貴雄

創価大学教授

いとう・たかお　1973年、熊本県生まれ。創価大学大学院文学研究科修了、博士（人文学）。ドイツ・マインツ大学ショーペンハウアー研究所客員研究員などを経て、現在は創価大学文学部教授・東洋哲学研究所研究員。専門は近代ドイツを中心とする哲学・思想史。著書に『ショーペンハウアー　兵役拒否の哲学』、共著に『ヒューマニティーズの復興をめざして』『今、南原繁を読む』、共訳に『ゲーテ＝シラー往復書簡集』『ヘルマン・ヘッセ全集4　車輪の下・物語集Ⅱ』『ヘルマン・ヘッセ　エッセイ全集8』『学習者中心の教育』など。新刊に『シュリーマンと八王子』（編著）。

時代への警鐘

——牧口常三郎先生の『人生地理学』が出版されたのは、日露戦争が勃発する４カ月前（１９０３年10月）のことでした。同書は地理学書という形式をとってはいますが、激動する時代状況を具体的に見据え、世界の中で日本がどうあるべきかを考察されています。人々の分断や対立など厳しい状況が続く現代の危機を前に、改めて学ぶべき点は何でしょうか。

牧口先生が生きた時代は世界的に「帝国主義」が巻き起こった時代でした。

一般的に帝国主義は、１８７０年代の列強諸国の植民地獲得競争から、１９４５年の大日本帝国の敗戦まで続いたとされています。牧口先生は１８７１年に生まれ、１９４４年に亡くなりました。つまり、その73年の生涯は帝国主義の歴史とほぼ重なっているのです。

戦後、帝国主義は終わったかのように見えましたが、完全に姿を消したわけではありません。帝国主義は、「領土の膨張・拡大」や「国民の意識統一」という特徴を持っています。まさに今、私たちが直面している状況は、帝国主義の残滓ともいえるものです。この負の遺産に再び世界が巻き込まれているといっても過言ではありません。

思想家の幸徳秋水は『廿世紀之怪物　帝国主義』（1901年）の中で、帝国主義は「愛国心を縦糸に、軍国主義を横糸にして織り成した政策である」（趣意）と述べました。帝国主義は、国民の忠誠心を利用して武力増強を図るものだというのです。そして、こうした体制を下支えしていたのが当時の「教育」です。

国民の意識統一を図ろうとする教育に対し、牧口先生は、一人一人が自分で物事を考え、幸せをつかむ「価値創造」の理念を掲げ、帝国主義の時流に対して異議申し立てを行ったのです。

――19世紀後半から吹き荒れた帝国主義の嵐は、現代における排他的なナショナリズムや利益至上主義のグローバリズムへとつながっていくものでした。当時の教育において、帝国主義の影響はどのように表れたのでしょうか。

日本の教育が帝国主義の方向に舵（かじ）を切ったのは、1890年の「教育勅語（ちょくご）」発布からといえます。その前年の大日本帝国憲法発布によって、限定的ではありますがデモクラシーの制度的な設計が日本に入ってきました。

しかし保守的な政治家たちは、革命が起きて国体が否定されることを危惧し、日本を万世一系の天皇中心の神の国とする国体思想を強めていきました。その結果、天皇と国家への「忠」（忠誠心）が教育の目的であるとうたわれ、教育勅語が生まれたのです。

しかし、特定の国家を絶対的なものと位置付けることは、その国の子どもたちに他の世界との関係性を断ち切らせることにつながります。もちろん、それは本来の意図ではなかったかもしれませんが、結果的に、子どもたちの視野を日本国内に閉じ込める風潮を生んだことは否定できません。

教育史に残る偉業

――戦前の学校教育では教育勅語の暗唱を求められ、危急の事態では「公に奉じ」るべきだと、命をなげうってでも国家への忠誠を果たすことが強いられました。牧口先生は、軍国主義への傾斜を強める教育勅語の誤りを厳しく非難されています。

教育勅語が当時どれほど絶対視されていたか、現代の私たちには想像することも難しいと思います。教育の現場では、神の教えのように、絶対に軽んじてはならない神聖なものとして徹底されていました。

牧口先生は、その一番の肝である「忠誠原理」――つまり忠誠心を学ぶことが教育の目標であるという箇所の削除を求めたのです。これは帝国主義への強烈な抵抗です。牧口先生は晩年、不敬罪等の容疑で逮捕・投獄された獄中にあっても、追及を緩めてはいません。そのことは、牧口先生を逮捕した側の記録である『特高月報』にも明らかです。

戦時中の日本で教育勅語を真正面から批判できた人はわずかしかいません。『特高月報』をはじめとする文書を収めた『昭和特高弾圧史』（全8巻）にも、牧口先生以外に教育勅語批判で記録されているのは1事例にとどまり、その人も特高の尋問を受けて主張を取り下げています。それほどまでに教育勅語の権威は絶対的でした。

しかし、牧口先生は最後まで批判の旗を振り続けました。これは近代教育史に残る偉業です。

――日本が一国を挙げて帝国主義へと突き進み、教育機関が「皇国少年」「軍国少年」の育成に総動員される中、なぜ牧口先生は教育勅語の危険性を訴え続けられたのでしょうか。

牧口先生が北海道尋常師範学校で最初に学んだ教育理念は、ペスタロッチ主義などのリベラルな教育思想でした。一人一人が幸福になるために、しっかりと知性やリテラシー（情報を読み解く力）を鍛えていく。それが教育の目的だと学んでいたのです。

ところが、牧口先生が教員になる頃から、教育の現場では教育勅語の奉読が義務付けられるなど、国家への帰属意識を育てることが重視されるようになります。それでも牧口先生は、〝一人一人の民衆が賢くなってはじめて、幸福な国家の基盤が築かれる〟との理想を諦めません。そこで牧口先生が着目したのが「郷土科」です。

『教授の統合中心としての郷土科研究』（１９１２年）という牧口先生の著作があります。教員向けに郷土科の目的や実践方法を示したものですが、扱われているのは全て国定教科書です。現場で使われる教科書を基にしながら、『人生地理学』で展開したような多角的な観察法、科学的な思考法を、子どもたちが会得できるための授業設計を実現しようとしたのです。

日本で帝国主義的な教育が始まった時に、牧口先生は教育現場を無視したり、国定教科書を否定したりするのではなく、あくまでも、現場の中で自分が理想とする教育を作り上げるという離れ業を成し遂げたのです。牧口先生の教育哲学は、こうした、時代との厳しい緊張関係の中から生まれていきました。

身近な事柄から

――郷土科という名称からは、現代でいう生活科や地理のような印象も受けますが、その基盤には「郷土を通じて世界を認識する」という眼目がありました。

身近な事柄に多角的に目を向けていくことで、世界からさまざまな恩恵を受けていることを認識できるという考え方です。『人生地理学』の例でいえば、赤ちゃんの肌着を見て灼熱のインドで綿花を紡ぐ人々の労苦を想像したり、乳製品を見てスイスの牧童の努力に思いを馳せたりすることです。郷土における自分の生活が世界中の人々の恩恵を受けて成り立っていることを自覚することで、「世界の共同生活舞台」に生きる一員として何に貢献できるかを考え、行動する「貢献的生活」が始まるということです。

牧口先生は、教育勅語体制下の教育方針に抗い、世界とのネットワークを正当かつ公平に認識することを通して、帝国主義へと加速する時代の流れを巻き戻そうとしたのです。

また、同じく郷土研究に力を注ぐ新渡戸稲造や柳田國男と「郷土会」に参加していたことも見逃せません。

郷土会の中心者であった新渡戸は、のちに国際連盟事務次長になる、日本を代表するコスモポリタン（世界市民）の一人でした。その新渡戸が提唱していたのが「地方学」です。また柳田は「郷土研究会」を開いていました。両者が中心となって郷土会が生まれ、そこに牧口先生は早い時期から参加しているのです。

郷土会は日本における協働的なフィールド研究の草分けです。社会科学的な観点からも画期的なものでした。自分が生きる身近な現場を観察するために、最先端の知識人がチームワークを行ったのです。

後年、新渡戸と柳田は、牧口先生の『創価教育学体系』（１９３０年）に序文を寄せています。混乱の時代に向き合うための展望を、牧口先生の思想に見いだしていたことを示唆するものでしょう。

競争から共同へ

――『人生地理学』では「人間の三つの自覚」として、地域に根差した「郷民（郷土民）」、国家の中で社

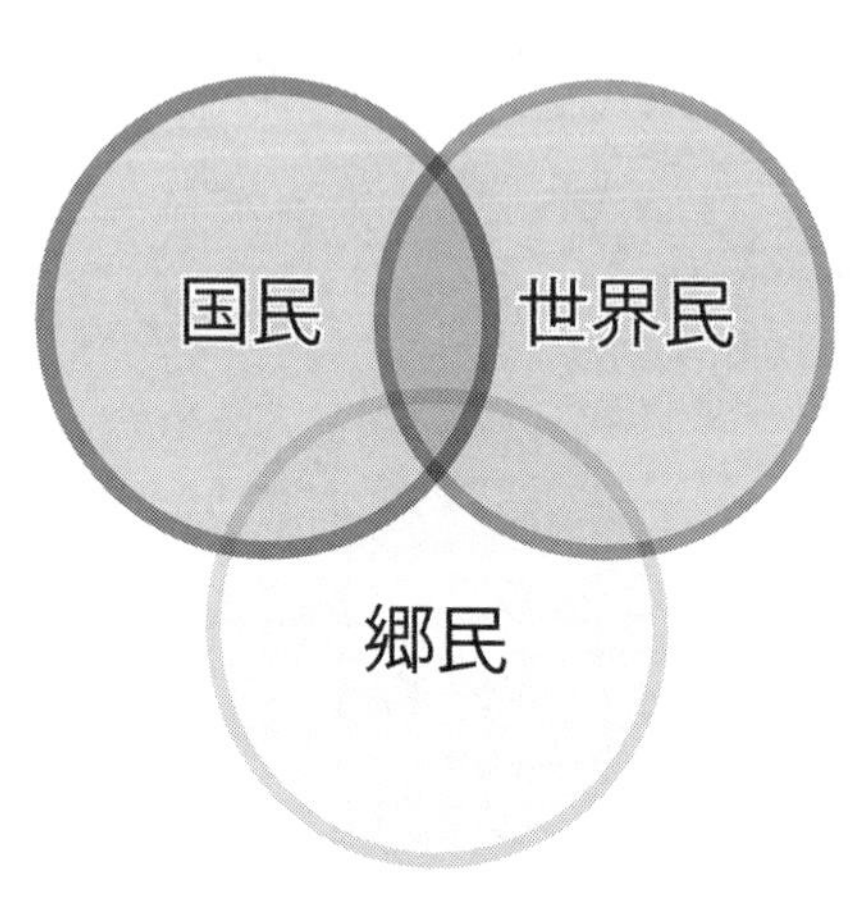

郷民・国民・世界民が重なり合うイメージ図

会生活を営む「国民」、世界との結び付きを意識して生きる「世界民（世界市民）」という複合的なアイデンティティーが示されています。

郷民・国民・世界民という三つの自覚は、ともすると「同心円」の関係に思われがちですが、牧口先生によるとそうではなく、相互にオーバーラップするようなイメージ（図）になります。

郷土から国家を通って世界に行くというのではなく、郷民でありながら同時に国民でもあり世界民でもあるという可能性を説いているのです。観察の眼を磨いていけば、郷土に居ながらにして、世界とのつながりをダイレクトに意識できるということです。

世界を抜きに日本だけを考えることも、日本を抜きに世界だけを考えることも、どちらも観念的です。世界と日本、両方をバランスよく見ながら、しかも観察の軸足を郷土に置いて、地に足のついた世界認識を得ることを重視しています。これは、忠誠心を植え付け、国家のために犠牲を強いる帝国主義とは対極に位置するものでした。

自他共に国々が栄えるには郷土に立脚した世界認識を

――牧口先生は、他国の民衆の犠牲の上に自国の安全と繁栄を追い求める生存競争から脱し、各国が「人道的競争」に踏み出すべきであると指摘されました。『人生地理学』では、人類は弱肉強食的な軍事的競争、政治的競争、経済的競争ではなく、人道的競争を目指すべきことが述べられ、人道的競争を可能にする鍵は、「他を益しつつ自己も益する方法を選ぶことにある。共同生活を意識的に行うことにある」と強調されています。

『人生地理学』『郷土科研究』『創価教育学体系』という著作群の根底には、人道的競争の理念が一貫してあったと思います。

では、人道的競争を可能にする人間をどのように育てていくのか。その根本となる「人道（ヒューマニティー）」の意識を育むためには、郷土に立脚しながら、周囲との物質的・精神的なネットワークを理解し、日本と世界とを結んでいく人間を育てないといけないという考えがあったのではないでしょうか。

〝他国の犠牲の上に自国の繁栄を築く〟という帝国主義の論理を克服するために、政治、経済、軍事といった現実世界の競争において、利己主義に陥らない人道の規範性を確立する――そのための教育を牧口先生は大事にしました。

『特高月報』に収録されている訊問調書には、牧口先生が、獄中にあっても「人類行動の規範」を重視していたことが記録されています。人道的競争という視座が、牧口先生の最晩年まで思索の底流にあったことを示すものでしょう。

自己の立脚地点を正当に自覚し、公平な世界認識をもって貢献的に生きる人間を育てていく。自他を共に輝かせゆく重層的なアイデンティティーの広がりを掲げ、帝国主義に戦いを挑まれた牧口先生の理念と行動は、現代の危機に直面する私たちが学ぶべきものであると思います。

「信の確立」

――人類が人道的競争に向かっていくために、「他を益しつつ自己も益する」「共同生活を意識的に行う」人間を育成するために、牧口先生はどう行動されたのでしょうか。

時代に抗って、一人一人の幸福を目的とする教育を追究した牧口先生が、当時の社会に見ていたのは、「人が人を信じることができない」という病理であったと思います。他者への不信が渦巻く世界にあっては、安心して共同生活をなすことはできません。そこでたどりついたのが、「信の確立」というテーマでした。

晩年の著作『創価教育学体系梗概（こうがい）』（１９３５年）の中に、「信の確立」を論じた箇所があります。（「梗概」とはあらすじのこと。以下、引用は現代語訳に改めた）

そこでは、「信用」といい、「信任」といい、「信念」といい、日常生活のあらゆる面を支えているのが「信」であると述べています。信じるということなしに、私たちの社会生活は成り立ちません。教育もそうです。

牧口先生は、「信任のない教師の教育がいかに熱心であったとしても、無益であるどころか有害である」として、体罰問題を例に挙げています。そして、この問題の根源は、教師が子どもから信じられていないことではなく、むしろ教師が子どもを信じていないことにあると指摘します。

すなわち「自分が他人を信用できないのに、他人に自分を信用させようとするのは無理な注文である。こうして自他共に互いに信じ合えなければ、赤の他人や道端の人と同様であり、共に提携し、結合できないのは当然である」と。他者を信じるから、自分が信じてもらえるのです。他者を信じなければ、自分も信じてもらえず、結局、互いに支え合うことはできません。

要するに、「他を益しつつ自己も益する」人間の育成といっても、まずは教師が子どもの可能性を信じ抜くところから始まるということです。

共同生活の基礎

――牧口先生にとって、人道的競争という大いなる理想を、力に頼らず着実に実現していくための場所が、教育現場であったわけですね。

子どもは教師に信じてもらうことで、教師を信じることができます。こうした信が基礎になって、子どもは「共同生活を意識的に行う」ようになります。現在の哲学や教育学でも「承認」というテーマが大きく注目されていますが、他者から承認を受けることは、人間が成長する上で大事な出発点なのです。

また牧口先生は、信の重要性を述べる一方で、信がない状況、すなわち不信が蔓延した先にある社会や未来についても論じています。そうした社会では、いつ敵対行動が生まれないとも限らないので、互いに警戒を解くことができません。「この種の人は、絶えず自分が生み出す疑心暗鬼に襲われ、戦々恐々として、この世を過ごしつつあるのだ。このような種類の人々が集合して社会を組織すれば、嫉妬、軽蔑、誹謗闘争の修羅場にならざるを得ないではないか」と、牧口先生は述べています。

――他者への不信の念が渦巻けば、その先にあるのは「修羅場」。それは、どの次元においても当てはまることかもしれません。

不信がもたらすものは何か。それは、単に教育だけの問題にとどまりません。牧口先生は、「昼夜問わず生存競争に生活力の大部分を浪費して疲れ果てつつある」社会のすみずみに、不信が横たわっていると考えていました。

この論文が書かれた時代背景に目を向けると、１９３１年に満州事変が起きて、以後、日中戦争を経て太平洋戦争に至る「十五年戦争」が始まっています。32年には5・15事件で犬養毅首相が青年将校に殺害されました。犬養は『創価教育学体系』第1巻に題字を寄せた、牧口先生の理解者の一人です。

33年にプロレタリア作家の小林多喜二が、34年にはマルクス経済学者の野呂栄太郎が特高警察の激しい尋問の末、虐殺される事件が起きています。35年、主権は国民にあり、天皇は国家を代表する最高の機関にすぎないという「天皇機関説」を唱えた憲法学者の美濃部達吉が、検事局の取り調べを受け、教育勅語批判を撤回させられています。

このように、国内では国民の間に政治不信が蔓延するとともに、為政者が国民を信じることができず、思想や言論を統制していました。また国際的には、為政者が相手の国家を信じることができず、確たる外交関係を築くことができませんでした。

座談会を重視

――牧口先生がその晩年に、万人に仏性を見る日蓮仏法の実践に希望の光源を見いだした理由が見えてくるように思います。

牧口先生は、不信が蔓延した先に「修羅場」があると述べたあと、「それは何ゆえであるか。変転して移ろいゆく人々の表面的な姿にとらわれるだけで、その奥にある常住不変の人格を見抜くことができないからである」と指摘しています。

この「常住不変の人格」という言葉は、牧口先生が傾倒したカント哲学の思想的系譜も踏まえながら、法華経の説く万人成仏の思想を表現したものと考えられます。他の箇所では端的に「仏界」という言葉も使っています。

注目すべきは、牧口先生がこうした自身の考えを伝える創価教育学会での活動の重点を、講演会形式から、座談会形式に移行していったことです。講演会では、演壇から聴衆へと垂直的な一方向の訴え掛けになりますが、座談会では牧口先生も含め、参加者全員が水平的な双方向の意見交換になります。

これは、一人一人の「常住不変の人格」を平等に信じ抜こうとする姿勢の表れであったと思います。牧口先生は、戦時下の1943年に検挙されるまでの約2年間、240回以上も座談会を開くなど、最後まで一対一の対話を重視しました。

――一人一人の中に信を確立することで、共存共栄の時代を開こうとされた牧口先生の思想と行動は、戸田先生、池田先生へと受け継がれました。戦後、仏法を基調とした創価学会の民衆教育運動として発展を遂げ、草の根の対話を基本としながら、世界192カ国・地域の人々に、自他共の幸福に生きる価値創造の理念を広げています。

まさに、人間に具わる「常住不変の人格」を信じ抜くという池田先生と学会員の振る舞いが、日本に、世界に、「信任」と「信頼」を獲得した証しと言ってよいでしょう。

牧口先生が教育を徹底して見つめて洞察した「他者への不信」は、現代の政治にとっても世界にとっても無視できない根本病理であると言えます。

今、ウクライナ危機を受けて、世界に「帝国主義」が復活しつつあるという指摘がなされています。相互不信が拡大し、対話が失われ、互いの「信頼」「信用」「信任」というものが、著しく損なわれました。もちろん、歴史的経緯もあって一概には言えませんが、戦争は不信が一つの起因と言えます。

かつての帝国主義もまた「他者への不信」という病理の表れでした。

しかし他国を信じることのできない国家は、他国からも信じてもらえません。また最終的には自国民からも信頼を失います。そうした国家に恒久的な繁栄は望めません。20世紀の帝国主義がたどった運命からも、そのことは明らかです。

また同時に、当事国以外の国であっても、「信じる」ことが欠けてしまえば、同じ過ちを犯す可能性もあるわけです。

そこでは、依然、帝国主義的な発想が克服されていないのです。私たち自身の中に不信感が残ってしまうならば、それは、ゆくゆくは形を変えて、次なる帝国主義を生み出す温床になりかねません。

あらゆる方面での人道的競争、またあらゆる次元での共同生活を実現させるために、牧口先生は、人間が人間の可能性を信じ抜くという「信の確立」を訴えているのだと考えます。

この牧口先生のメッセージが、戸田先生の「地球民族主義」の理念に、そして池田先生の半世紀以上にわたる「民間外交」と「世界市民教育」の実践に継承され、万人の尊厳を守り、恒久平和を実現しゆく希望の源となって、全世界に波及しているのだと思います。

2022年9月3・5日付掲載

ぶれることなく大衆と共に今求められる「中道」の姿勢

政治学者として世界を見つめながら、社会の課題に切り込んできた姜尚中氏。危機に直面する現代をどう捉え、どんな役割を宗教に期待しているのか。

姜尚中

政治学者

カン・サンジュン　1950年、熊本県生まれ。早稲田大学大学院政治学研究科博士課程修了。国際基督教大学准教授、東京大学大学院情報学環・学際情報学府教授、聖学院大学学長などを経て、現在は、東京大学名誉教授・熊本県立劇場館長兼理事長・鎮西学院大学学長。専攻は政治学、政治思想史。ミリオンセラーになった『悩む力』をはじめ、『心の力』『マックス・ウェーバーと近代』『在日』『オリエンタリズムの彼方へ』『朝鮮半島と日本の未来』など著書多数。小説作品に『母――オモニ』『心』がある。近著は『それでも生きていく――不安社会を読み解く知のことば』（集英社）。

歴史を俯瞰する

――気候変動やコロナ禍、ウクライナ危機など、さまざまな課題が山積するこの時代を、どのように見つめてこられましたか。

歴史を俯瞰(ふかん)して見てみると、現代の危機の端緒(たんしょ)は、半世紀以上前にあったことに気付きます。ローマクラブが地球の有限性に警鐘(けいしょう)を鳴らしたリポート「成長の限界」を発表したのは、1972年。その前年には、金と米ドルの兌換(だかん)停止が宣言された「ニクソン・ショック」が世界経済に影響を与え、後に大半の国が通貨の変動相場制へと移行していきます。米ドルという一国の通貨が、金に代わって、世界の通貨の安定を託されるようになった。さらに、73年には第1次石油ショックが発生しました。

世界経済が、アメリカ次第で右にも左にも揺れ動く時代が、70年代初頭に始まったということです。その経済活動のありようは、ものを生産・販売し、それに対価を支払うといった「実体経済」から、金融取引や為替相場の変動で富を増やすといった「金融経済」に変わっていきました。私はそれを〝虚の経済〟と呼んでいます。

地球環境がグローバル経済の成長に耐えられないという状況が、すでに始まっていたにもかかわらず、資本は無制約で世界中に広がっていった。今日の気候危機は、不可避の事態として起こったといえるのです。

一方で、ウクライナ危機をどう見るべきか。第1次世界大戦（1914〜18）と第2次世界大戦（1939〜45）の〝終戦〟のあり方を比較すると、浮かび上がることがあります。

第1次世界大戦に終結を与えた「ベルサイユ条約」は、戦勝国である連合国と、敗戦国であるドイツとの間に調印されたものでした。新たな国際秩序が形成されるはずでしたが、この条約によってドイツは植民地や領土を失い、賠償支払いを課せられるなど、徹底的に圧迫されました。すると、条約を恨む気分がドイツ国内に強まっていった。それがナチスドイツによって利用されるようになり、政権掌握の一因となったと見ることができるのです。

その歴史の教訓から、第2次世界大戦後、アメリカが推進した「マーシャルプラン」と呼ばれるヨーロッパの復興計画は、敗戦国であるドイツやイタリアを含む広域に適用されました。それによって、極右勢力が出てくる可能性が摘み取られたわけです。

そうした経緯もあり、戦後の東西冷戦の時代は、国際社会で紛争や戦闘が繰り返される中でも、ある種の均衡を保っていました。高度経済成長に入った日本にとっても、ある意味で〝幸せな〟時代だったともいえます。

しかし、1989年の「ベルリンの壁」の崩壊に象徴されるように、その冷戦が終結すると、唯一の超大国として世界に君臨したのがアメリカです。そのアメリカと西欧諸国が構築していった安全保障の枠組みは、ロシアの地位を十分に考慮したものではなかった。いわば、ロシアが冷戦の〝敗戦国〟であると位置付けられたとも捉えられるのです。

一方ではアメリカが、世界を〝一極支配〟したかのように振る舞い、他方ではロシアが、〝国土は大きくても軍事的には二流、三流の国家だ〟と、西側諸国から下に見られるようになった。その屈辱を晴らし、国際社会での立ち位置を挽回したいと考えたのが、プーチン大統領だといえます。そうした背景が、現下のウクライナ危機につながっていると見ることができる。まさしく、第1次世界大戦のベルサイユ体制の時と同じ過ちを犯してしまったといえるのです。

冷戦後、ロシアが安全保障上で危機感を持たないような国際秩序を構築できていれば、今日のような戦禍は免れることができたのではないか――。そう考えざるを得ません。

政治のありよう

――20世紀に芽生えた危機が、さまざまな形で噴出する現代の世界のありようを、歴史の上からどう捉えるべきでしょうか。

歴史というのは、繰り返すのではなく、「韻（いん）を踏む」。アメリカの作家マーク・トウェインが言ったとされる言葉ですが、これにならえば、現代は１９３０年代と似た様相を呈していると思います。

１９３０年代は、ウォール街の大暴落（29年）などを背景に、自由主義と資本主義に対する不信感が高まった時代でした。政府が経済活動に介入しないといった、イデオロギーとしてのリベラリズムは神通力を失い、むしろ、国家が介入することが、社会の秩序を保つ〝切り札〟であるとされていった。「小さな政府」から「大きな政府」への移行です。国民の、国家に対する期待値、国家との一体感を求める思いが、強まる時代だったということもできます。

一方で、現在起こっていることを見てみると、例えば、コロナ禍が始まった一昨年（２０２

0年）、公明党が主導して実現した「一律10万円の特別定額給付」は、それまでであれば、到底通らなかった提案だと思います。ところが、コロナ禍が長期化した今となってみれば、10万円の給付は当然、なされるべきだったし、それでは到底足りないという話もある。財政規律をいったん棚上げしてでも、国が補助金や給付金を出さなければ、社会が回らない状況となっています。

国家がどう動くかが、社会にとっても、個人にとっても命綱になっている。ここが30年代と似ています。

しかし日本では、この数十年間、没政治化とさえ言える状況がかなり進んでしまったのが現実です。官僚主導で物事を進め、政治家は口を挟むなという空気があった。その中で、選挙での投票率も下がり続けた。今、日本の最大の問題は、経済の問題ではなく、国家の問題、政治の問題であると私は思います。

政治がうまく機能するためには、やはり社会が強くなければいけない。そして社会が強いというのは、国家と国民を結ぶ中間集団が機能しているということなのです。

社会の極端化を防ぐ人間の絆（きずな）

――個人でもない、国家でもない、その間に位置する中間集団が、社会で果たす役割とは何でしょうか。

創価学会員のように、中間集団に自分の居場所を持つ人は、自分の考えを伝えるとともに、他にもさまざまな意見があることを知り、議論し合うことができます。一方、そうした場を持たない人は、自分と社会との間に介在する多様な価値観に触れることなく、むき出しの形でメディアの洗礼を受けます。

すると、自分の身の回りで起こっている現象について、流れてきた情報を鵜呑（うの）みにしたり、フェイクニュース（虚偽報道）に侵されたりしてしまう。ＳＮＳが普及する現代においては、なおさらです。

現代は、中間集団が痩（や）せ細り、若者を中心に、社会関係の網の目から離脱する人が増えてきています。そうしていわば〝砂粒化〟した個人が、極端な情報や言説に触れることで、バラバラだった状態から、一定の方向にマスとなって動き出してしまうことがあります。それはナシヨナリズムや全体主義の温床となる危険をはらんでいます。
偏った情報や妄想を信じている個人が、マスとなって固まれば、極端な方向に向かうのは十分にあり得ることです。

一方で、普段からいろいろな人と自由に、対等に交流し合える中間集団に足場を持っている人は、デマや妄想とは対極の、リアリティーと常に接点を持つ人たちです。その結果として、仮に極端な考えを持っていたとしても、リアリティーを伴う人間関係の中で、やがて均衡のある考えへと是正されていくのです。こうした身体的なつながりの価値は、ますます高まっています。

現代は、さまざまな苦悩を抱えて暮らす人がいながらも、彼らを取り巻く社会の課題が、見えづらくなっています。苦悩を誰にも相談できないがゆえに、反社会的な行動を起こす人もいる。個人が、遠心分離機にかけられたように砂粒化し、極端な方向へと動いてしまう。それは、彼らをすくい上げる中間集団がなくなってきているからだと思うのです。

よって立つ足場

――砂粒化した大衆が、ナショナリズムといった極端な方向に動いてしまうような事態を、どのようにすれば防ぐことができるのでしょうか。

健全なナショナリズム、あるいは愛国心というものは、「愛郷心」の延長線上にあるものだと私は思います。地域を愛することなくして国を愛そうというのは、非常に観念的であり、うつろなナショナリズムにほかならない。自分という存在が、「どこに錨を下ろすのか」が大切なのです。それは、「愛郷心なきナショナリズム」に流されてしまう自分との、戦いであるともいえます。

その点、創価学会の牧口初代会長が、「郷土民」という考えを、「国民」「世界民（世界市民）」に先立つ、個人のよって立つ足場として大切にされたことは、今日的な意味があると思います。

昨今のグローバル化の流れの中では、地域に根差すことのないまま、「世界に羽ばたけ」といった言葉が広まった側面もあります。しかし今、ウクライナ危機のようなことが起こり、空気は一挙に反転しています。〝海外は怖い〟というように。

改めて、「ぶれない」ことの大切さを思います。そして、極端にぶれないためには、自分が錨を下ろせるような、中間的な集団が必要になります。そこに、創価学会をはじめとする宗教団体の役割があるのではないでしょうか。

信仰が原動力に

――現代のような危機の時代に、学会に期待することは何でしょうか。


仏法は「中道」(※注)の思想を説きますね。よく、中道は〝足して2で割った真ん中〟という誤った認識がなされますが、私は、中道の実践ほど難しいものはないと理解しています。時代が変わっても変わらずにいて、同時に、変わらないために変わり続けるという中道の立ち位置――今まさに、社会で必要とされている姿勢だと思います。

この非常に難しい立ち位置を、とりわけ政治において貫くのは、信仰的な基盤があってこそできることだと私は思います。思い起こすのは、キリスト教民主同盟を率いた、ドイツのメルケル前首相です。熱心なキリスト教徒である彼女は、その信仰心を原動力として、中道の立ち位置からの政治手腕を発揮しました。

すでに述べたように、民主主義というのは、ある意味では大衆が過激化する危うさを備えています。国や社会は、国民や市民の思いが集積して成り立つものでなくてはならない。ゆえに国民を信頼することが大切である一方で、〝砂粒化〟した個人が群れとなって動くときは、民主主義とは似ても似つかないものに変わってしまう危険性もある。

大衆が奔流（ほんりゅう）となって誤った方向に向かうときは、命を懸けて止めなくてはならない。しかし、上から超然として大衆を見るのではなく、自分もその大衆の一人として、大衆の中に入っていくことが、できるかどうかです。大衆の大きな流れを受け止めながら、それに流されず、同時にまた、大衆の中にい続ける。

私は、池田ＳＧＩ会長が公明党の出発に際して訴えた「大衆とともに」という指針も、そのような意味ではなかったかと思うのです。大衆の中にいながら迎合せず、外にいながら中にある――まさしく中道の立ち位置です。

そうした中道をいざ実践するのは難題ですが、それに挑めるかが試されているのが、現代です。地域に根差して活動する、学会員一人一人が担う役割は大きいと思っています。

顔が浮かぶ社会

――個人や社会が極端な方向に進まないために、多様な意見や考え方が出あう「中間集団」が大切です。

人は誰でも、社会の中に生まれ、社会の中で育ちます。でも、ここで私が言う「社会」とは、大文字で語られるような観念的なものではなく、地域やボランティア団体といった、人の顔が浮かぶ具体的な社会のことです。そうした中間集団を持たない人にとって、個人主義が至上の価値になっている現代社会は、非常に生きづらいと思うのです。

現代の人たちは、「自由」という言葉を毎日、シャワーのように浴びて生きてきました。自由が与えられるということは、それだけ多くが自己責任化されているということでもあります。ただ、人は自己責任だけでは生きていけない。病気や災害があれば、誰かの力が必要であり、ネットワークの力ですくい上げられて、初めてまっとうに生きていける人が多くいます。そうした助けとなるのが、創価学会のような中間集団であるわけです。

中間集団が至る所に存在して、人々をすくい上げられるようにしていくことが、社会の足腰を強くすることだと私は思います。しかし実際、長年、勤め上げた企業を定年退職した男性の高齢者などは、自分の居場所がないと感じている人が多いのではないでしょうか。一般に「アソシエーション」と呼ばれるような、共通の目的や関心を持つ人々同士が関わり合える空間が、もっと自発的に出てくれば良いと思います。

中間集団が痩せ細ってしまうと、自分の悩みを誰にも言えない人たちが増えていきます。最近では、衝撃的な元首相の銃撃事件（２０２２年７月８日）もありました。容疑者である青年が犯したことは決して許されることではありませんが、彼も孤独だったのではないか。社会の中に、彼のような人をすくい上げる余地がなくなってきていることの危険性を感じています。

その上で心配なのは、今回の事件に関連して、あくまで「反社会的な団体」と一部の政治家のつながりが問題となっているわけですが、これを機に、「政治と宗教」の関わりを全般的に問題視するような見方があるとしたら、これは全くの筋違いということです。今、見つめなければならないのは、「政治と宗教」というより、「政治と反社会的な団体」の関係性を巡る問題であるからです。

大きな時間軸で

――近著『それでも生きていく――不安社会を読み解く知のことば』（集英社）をはじめ、危機の時代を乗り越えるための指針を多く発信してこられました。今、私たちは何を心掛けて生きるべきでしょうか。

これは今、私自身がさまざまな人生経験を積んで、70代に入ったから感じることかもしれませんが、「時間軸を長く取ること」が必要だと、最近改めて思います。というのも、私たちは普段、小さな時間の単位でしか、人生を考えていないのですね。特に若者には、そうした傾向が強いのを、大学等の現場で感じています。

その場その場で、受験に合格したら喜ぶし、どの大学に行くかで人生が決まるといった感覚に、吸い込まれてしまった人たちが多くいる。そんなことで人生は決まらないよと言っても、若い人にはなかなか理解されません。「人生１００年」といわれる時代にあって、日本は世界に誇る長寿社会であるにもかかわらず、驚くほど短い時間軸で物事を考えていることを、私は憂慮しています。

人生には、良い時も悪い時もあるわけですね。でも、そのたびに一喜一憂する必要はない。『ゾウの時間ネズミの時間』（本川達雄著）ではないが、大きなサイズで時間を考えると、人生の出来事を違った視点から見ることができるように思います。

そのように長い時間軸で人生を捉えられるようになるには、〝敗者復活戦〟が許される社会にならなければならないと思います。たとえ一度は失敗しても、やり直しができる社会です。例えば、新卒で一斉に採用するような仕組みではなく、いつどんな時でも、中途採用ができるような雇用形態に変えることなどです。アメリカでは、50歳で大学に入って学び直したり、弁護士事務所を開いたりしても、何も珍しいことではなく、当然のように受け止められます。

そうした社会の変革は、制度・慣行・生き方の三位一体で進んでいくのが望ましいです。しかし実際には、制度や慣行はすぐには変わらなかったりします。だからまずは、自分の生き方、考え方を「ゾウの時間」に変えてみることです。

今だけを考えてしまえば、つらいことは、つらいままでしかないかもしれない。しかし、人生あと数十年あると捉えて、今はダメでも敗者復活戦で逆転できると考えられれば、つらいことにも「意味」が伴っていくと思うのです。

人生は選択の連続といえます。〝あれもこれも〟と何でも選べた高度経済成長期とは異なり、現代は、何かを選ぶことは、何かを失うことでもある。仕事を切り上げて家族と時間を過ごすのも、地域貢献の活動に精を出すのも、選択ですね。〝あれもこれも〟は選べないかもしれないけれど、〝あれがダメならこれがある〟というふうに、選択肢を増やしていくという考え方が大切ではないでしょうか。人生を「複線化」していくということかもしれません。

幸も不幸も人生

――長い時間軸で人生を見つめるからこそ、〝幸もあれば不幸もある〟現実を受け止めることができるようになる――近著では、ご自身の経験からそうつづられています。

2010年に息子を亡くしたことは、私が、「幸せ」について深く考えるようになるきっかけでした。

何の不自由もないことが幸せであり、それが人生の目的であると考えてしまえば、不幸に見舞われたときに、それを恨んだり、否定したりしてしまいます。そしてそれは、私たちが無意識に抱いている幸福観かもしれません。

でも、今は悩み一つない人生であっても、誰もが家族や親しい人を失うなどの場面に直面するでしょうし、いつかは自分にも病や死が訪れる。もしも、幸福と不幸が分断されたものであると捉えれば、〝いつか自分は不幸になるのではないか〟という不安は尽きません。しかし、長い時間軸で人生を見つめて、幸福と不幸は地続きであり、〝どちらもあるのが人生だ〟と考えると、私自身も完全に不安から解放されたわけではありませんが、だいぶ気持ちが楽になりました。

アメリカの哲学者ウィリアム・ジェームズは、「二度生まれ」という概念を提唱しています。人は苦痛や苦悩を引き受けることで、自分の中の価値観を変え、「二度目の誕生」を経験する、と。

私は、ジェームズがそう書いた背景には、宗教的な経験があったのではないかと思っています。人生には、知識や経験を増やすといった次元を超越して、人間が〝丸ごと〟変わる瞬間がある。それは信仰に基づく経験である、と。

そのときに、人は今まで知らなかった、自分の未知の領域を発見します。場合によっては、今まで自分が幸せだと考えていた価値観が、崩れていくかもしれません。

しかし人間は、現状に満足しているときよりも、幸せではないとき、幸せを求めるその過程にいるときのほうが、思索を重ね、自分を深めていけるという側面があるのではないかと、私は思うのです。

誰の人生にも、1回や2回は訪れるであろう「二度生まれ」の経験は、生き方の転換を促（うなが）すきっかけになります。池田SGI会長であれば、それを「人間革命」と呼ばれるのではないかと思います。この価値の転換は、知識の伝授では起こりえないものです。

「生みの苦しみ」

――「不安社会」を生き抜く若者に、メッセージをお願いします。

最近、若者の口から「希望」という言葉を聞かなくなったと感じています。

「幸せ」は、何かうれしいことがあったなど、自分一人で感じられる喜びや満足を指すのだと思います。でも「うれしいことがあったから希望を感じた」とは言わない。希望とは、「共に喜ぶ」ことであり、他者がいてこそ感じられるものだと思うのです。

自由と自己責任をうたった新自由主義的な価値観のもとで、「幸せ」を実現する人はいるかもしれないけれど、「希望がある」とはなかなか言えないのが現代です。誰かが幸福であれば誰かが不幸であるといった、〝ゼロサムゲーム〟のような社会であると考えられることが多い。幸せそうな人に嫉妬したり、攻撃したりする人もいる。

格差や不平等がまん延する社会にあって、ドイツの哲学者ニーチェが「ルサンチマン」と表現した、弱者が強者に対して抱く嫉妬・怨恨といった感情が、全世界的な傾向になってしまっているのではないでしょうか。

だからこそ、希望を生み出すことが必要です。自分の未来に希望を抱いている人は、たとえ今不幸であっても、耐えられる。他者の不幸の上に自分の幸福を築くようなことは、しないはずです。

牧口初代会長以来、創価学会が実践してきた、「他を益しつつ自己も益する」といった考え方が、多くの人々の生き方の軸になっていくことが、希望の源泉になっていくと思います。

現代は、人を幸福にするはずだった自由が、かえって人を孤独にする時代であるともいえます。しかしかといって、人は自由を求めずには生きられません。難しい時代ですが、同時に「生みの苦しみ」の時代でもあるのです。

ここをくぐり抜けることができれば、必ず明るい未来が開けてくる——一人一人が、その希望を社会にともし続ける存在になっていただきたいと思います。

※注

相対立する両極端のどちらにも執着せず偏らない見識・行動

写真提供：聖教新聞社（P8, 30, 51, 148, 195）
森 清（P171）

装丁：清水良洋（Malpu Design）
本文デザイン：佐野佳子（Malpu Design）
本文DTP：standoff
構成：飯室 浩
村上 進
加藤伸樹
小野顕一
萩本秀樹
樹下 智
南 秀一
真鍋拓馬

 050

危機の時代を生きる3

2023年　1月26日　初版発行

編　者｜ 聖教新聞報道局
発行者｜ 南　晋三
発行所｜ 株式会社潮出版社
〒102-8110
東京都千代田区一番町6　一番町SQUARE
電話　■ 03-3230-0781（編集）
　　　■ 03-3230-0741（営業）
振替口座 ■ 00150-5-61090

印刷・製本｜ 中央精版印刷株式会社
ブックデザイン｜ Malpu Design

ISBN978-4-267-02383-5　C0236